D0050274

QUAND J'AVAIS CINQ ANS, JE M'AI TUÉ

Gil est un petit garçon de huit ans. Un enfant comme les autres, issu d'une famille tout à fait normale, qui va à l'école, a ses jeux, ses amis, ses rêves, son monde à lui… Un jour, il tombe en admiration devant une fillette de son âge, Jessica. L'admiration se transforme en une première histoire d'amour. Mais cette histoire dépasse bientôt le cadre de l'enfance et de l'innocence avec laquelle Gil et son amie pensent devenir des « grands ». Gil est placé contre sa volonté dans une résidence spécialisée pour enfants après avoir eu, envers Jessica, des gestes jugés déplacés par les adultes.

Avec ses mots d'enfant, il raconte cette expérience de claustration et de culpabilisation, l'incompréhension aussi, d'un médecin qui le traite selon des méthodes dépassées et peu adaptées à l'univers de l'enfance.

Howard Buten est l'auteur de plusieurs romans parmi lesquels Le Cœur sous le rouleau compresseur, *où l'on retrouve Gil,* Mr Butterfly *ou, plus récemment,* Quand est-ce qu'on arrive ? *Psychologue clinicien, il est spécialiste des enfants autistes. Clown, il est le créateur de Buffo…*

DU MÊME AUTEUR

Le Cœur sous le rouleau compresseur
Seuil, « Points Virgule », n° V24, 1984

Monsieur Butterfly
Seuil, 1987
et « Points Virgule », n° 70

Il faudra bien te couvrir
Seuil, 1989
et « Points Virgule », n° V118

Histoire de Rofo, clown
(Howard Buten & Jean-Pierre Carasso)
Éditions de l'Olivier, 1991
Seuil, « Points Virgule », n° 45

C'était mieux avant
Éditions de l'Olivier, 1994
et Seuil, « Points Virgule », n° V166

Ces enfants qui ne viennent pas d'une autre planète :
les autistes
Illustré par Wozniak
Gallimard Jeunesse, 1995 et 2001

Quand est-ce qu'on arrive ?
Éditions de l'Olivier, 2000
Seuil, « Points Virgule », n° 44

Il y a quelqu'un là-dedans : des autismes
Odile Jacob, 2003

Howard Buten

QUAND J'AVAIS CINQ ANS, JE M'AI TUÉ

Traduit de l'anglais
par Jean-Pierre Carasso

Éditions du Seuil

TEXTE INTÉGRAL

TITRE ORIGINAL
Burt

Holt, Rinehart and Winston, New York
ISBN originaux : 0-03-056891-9 relié
0-03-057664-4 broché

ISBN 2-02-068575-2
(ISBN 2-02-048171-5, 2nde publication poche
ISBN 2-02-005986-X, 1re publication poche
ISBN 2-02-009816-4, édition reliée)

www.seuil.com

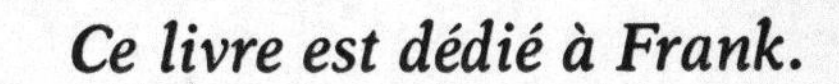

Ce livre est dédié à Frank.

1

Quand j'avais cinq ans, je m'ai tué.

J'attendais Popeye qui passe après le Journal. Il a les poignets plus gros que les gens et il est tellement fort qu'il gagne toujours au finish. Mais le Journal voulait pas s'arrêter.

Mon papa il le regardait. Moi je m'avais mis les mains sur les oreilles pasque le Journal ça me fait peur. Ça me plaît pas comme télévision. Y a les Russes qui vont nous enterrer. Y a le président des Etats-Unis qui est chauve. Y a les grands moments du fabuleux salon de l'auto de cette année, que j'y suis même allé une fois et ça, ça m'a plu comme chose à faire.

Un monsieur du Journal est venu. Il avait quelque chose dans sa main, une poupée, et il l'a levée en l'air. (Ça se voyait bien que c'était pas une vraie personne à cause des coutures.) J'ai enlevé mes mains.

— Ce que je vous montre là, il a dit le monsieur, c'était le jouet préféré d'une petite fille. Et ce soir, à cause d'un accident stupide, cette petite fille est morte.

Je suis monté dans ma chambre en courant.

J'ai sauté sur mon lit.

Je m'ai enfoncé la figure dans mon oreiller et je l'ai

appuyée fort, fort, très fort jusqu'à ce que j'entende plus rien du tout. J'ai arrêté de respirer.

Et puis mon papa est venu et il a enlevé l'oreiller et il a mis sa main sur moi et il a dit mon nom. Je pleurais. Il s'est penché et il a passé ses mains sous moi et il m'a soulevé. Il a fait comme ça, comme il fait à mes cheveux, et j'ai posé ma tête sur lui. Il est très fort.

Il m'a dit tout doucement :

— Là, là, fiston, tout va bien, pleure pas.

— Je pleure pas, j'ai dit, je suis un grand garçon.

Mais je pleurais. Alors mon papa m'a dit que tous les jours il y a des gens qui deviennent morts et que personne sait pourquoi. C'est comme ça, c'est les règles. Et puis il est redescendu.

Je suis resté assis sur mon lit très longtemps. Assis, comme ça, longtemps, longtemps. J'avais quelque chose de cassé à l'intérieur, je sentais ça dans mon ventre et je savais pas quoi faire. Alors je m'ai couché par terre. J'ai tendu le doigt avec lequel faut pas montrer et je l'ai appuyé contre ma tête. Et puis j'ai fait poum avec mon pouce et je m'ai tué.

2

Je suis à la Résidence Home d'Enfants les Pâquerettes.

Je suis ici à cause de ce que j'ai fait à Jessica. Je saigne encore du nez mais ça fait pas mal, mais j'ai la figure noire et bleue sur la joue. Ça fait mal. J'ai honte.

Quand je suis arrivé ici, la première personne que j'ai rencontrée c'était Mme Cochrane. Elle est venue me voir au comptoir où j'étais avec mon papa et ma maman. Tout le monde s'est serré la main sauf moi. Moi elles étaient dans mes poches mes mains. Et elles étaient fermées, c'étaient des poings. Mme Cochrane m'a emmené. Elle est moche. Elle est à dégobiller de la regarder et elle porte un pantalon malgré qu'elle est vieille. Elle me parle tout doucement comme si je dormais. Mais je dors pas.

Elle m'a emmené dans mon aile. Y a six lits. Pas de rideau, pas de tapis. Pas de commode. Pas de télévision. Les fenêtres ont des barreaux comme en prison. Je suis en prison à cause de ce que j'ai fait à Jessica.

Et puis je suis allé voir le Dr Nevele.

Son bureau est par là : traverser le vestibule, passer les grandes portes, et puis par ici, et alors c'est là. Il a des poils dans son nez, un vrai paillasson. Il m'a dit de m'asseoir. Je m'ai assis. Je regardais par la fenêtre qui a pas de barreaux et le Dr Nevele m'a demandé ce que je regardais. J'ai dit des oiseaux. Mais je regardais si y avait mon papa pour m'emmener chez nous.

Il y avait une photo sur le bureau du Dr Nevele, des enfants, et il y avait une photo de Jésus-Christ qui doit être une fausse pasque y avait pas d'appareils photo à l'époque. Il était sur la croix et on lui avait accroché un écriteau. Y avait d'écrit ONRI. Mais je vois pas ce que ça a de drôle.

Le Dr Nevele s'est assis derrière son bureau. Il a dit :

— Et si le petit Gil me parlait un peu de lui, s'il me disait, par exemple, ce qu'il préfère faire par-dessus tout, hein ?

J'ai bien croisé mes mains sur mes genoux. Comme un petit garçon bien élevé. Je n'ai rien dit.

— Eh bien, Gil. Qu'est-ce que tu préfères faire, par-dessus tout, disons quand tu es avec tes petits camarades, hein ?

Moi j'étais assis, là, sans dire un seul mot de réponse. Il me regardait comme ça avec ses yeux et moi je regardais par la fenêtre si des fois je verrais pas mon papa seulement je le voyais pas. Le Dr Nevele m'a encore demandé et puis encore et encore et puis il s'est arrêté de me demander. Il attendait que je parle. Il attendait, il attendait. Mais moi je voulais pas parler. Il s'est levé, il a fait le tour de la pièce, et puis il s'est mis à regarder par la fenêtre aussi, alors j'ai arrêté de regarder, moi.

J'ai dit :

— Il fait nuit.

Le Dr Nevele m'a regardé.

— Mais non, Gilbert. Il fait grand jour. C'est le milieu de l'après-midi.

— Il fait nuit, j'ai dit. « Quand Blacky vient. »

Le Dr Nevele m'a regardé.

— C'est la nuit qui s'appelle Blacky ?

(Dehors, une voiture s'est garée et une autre est partie. Mon frangin, Jeffrey, mon grand frère, y connaît toutes les bagnoles, tu peux y aller, toutes. Une voiture qui passe, il peut te dire la marque tout de suite. Mais quand on est à l'arrière de la nôtre, on arrête pas de se faire gronder pasqu'on gigote.)

— La nuit, Blacky vient chez moi, j'ai dit ça, mais je l'ai pas dit au Dr Nevele. Je l'ai dit à Jessica. Après qu'on m'a bordé sous les couvertures. Il vient se mettre sous ma fenêtre, à attendre. Il sait quand c'est l'heure. Il reste coi. Il dit pas un bruit. Pas un bruit de cheval comme font les autres. Mais moi je sais qu'il est là, pasque moi je peux l'entendre. Il fait le bruit du vent. Mais c'est pas du vent. Il a l'odeur des oranges. Alors je noue mes draps ensemble et je me laisse descendre par la fenêtre. C'est haut — cinquante mètres ! J'habite dans une tour. La seule du quartier.

« Quand je galope sur son dos, ses sabots font le bruit des cartes à jouer qu'on met dans les rayons d'une roue de vélo et les gens croient que c'est ça, justement. Mais non. C'est moi. Et je galope sur le dos à Blacky, jusqu'à la fin des maisons, la fin des gens. Y a plus personne. Y a plus d'école. Y a la prison où on met des gens qui n'ont rien fait de mal. Et on s'arrête contre le mur. Tout reste coi. Je me mets debout sur le dos à Blacky ; il est très glissant mais jamais je glisse. Et je grimpe par-dessus le mur.

« Dedans y a des soldats, y z'ont des ceintures

blanches croisées en travers, comme les patrouilleurs de sûreté sauf qu'ils ont des barbes. Ils suent. Ils dorment. Y en a un qui ronfle, le gros qui est méchant avec les enfants.

« Je me faufile jusqu'à la partie prison, là où les fenêtres ont des barreaux et je dis doucement aux gens qui sont dedans : " Vous êtes innocents ? " Ils disent que oui. Alors je défais les barreaux du doigt avec lequel faut pas montrer et je les fais sortir.

« Je suis juste en train de repasser le mur pour m'en aller quand le gros qui est méchant avec les enfants se réveille et me voit, seulement c'est déjà trop tard. Je lui fais un signe et je saute. C'est haut — cinquante mètres ! Tout le monde croit que je suis mort. Mais non. J'ai ma cape et je la tiens comme ça et le vent s'amène et gonfle ma cape et c'est comme si je volais. J'atterris sur Blacky et on s'en va et puis on mange des sablés et du lait. Moi je trempe.

Le Dr Nevele me regardait avec des gros yeux.

— C'est très intéressant qu'il m'a dit.

— Je te parlais pas à toi.

— A qui donc parlais-tu ?

— Tu sais bien.

— Qui ?

(Dehors un petit garçon comme moi jouait à la balle, il la faisait rebondir dans le parking en riant. Son papa est venu le chercher et l'a emmené de la Résidence Home d'Enfants les Pâquerettes — dans leur maison, où il jouait avec des petits trains qui roulent pour de vrai.)

— Gil, soyons copains, veux-tu ? Deux copains qui se racontent des choses. Je crois que je peux t'aider à trouver ce qui te tracasse, et ensuite t'aider à arranger ça. Tu es un petit garçon malade. Le plus vite tu me laisseras te venir en aide, le plus vite tu iras mieux et le plus vite nous pourrons te renvoyer chez toi. Tu veux bien ?

J'ai recroisé les mains sur mes genoux. C'est l'attitude correcte pour s'asseoir. Comme un bon citoyen. Pas un mot, pas de chouinegomme. Le Dr Nevele est resté debout devant moi ; il attendait mais moi j'ai rien dit. J'écoutais des bruits dans le grand vestibule de la Résidence Home d'Enfants les Pâquerettes, des bruits d'enfants qui pleuraient.

— Il faut que je me sauve, je lui ai dit.

— Pourquoi ?

— Mon papa est là.

— Gil, tes parents sont partis.

— Non, là, c'est pas pareil, ils sont revenus pour me dire quelque chose, ils sont revenus me chercher, docteur Nevele.

— Assieds-toi, s'il te plaît.

J'étais déjà debout près de la porte. J'ai posé ma main sur la poignée.

— Gil, veux-tu t'asseoir, s'il te plaît.

Je l'ai bien regardé et j'ai ouvert la porte un tout petit peu et il est venu. J'ai couru de l'autre côté de son bureau. Il a fermé la porte et il est resté devant.

— Gil, c'était à Jessica que tu parlais ?

Je n'ai rien dit du tout.

— Jessica n'est pas ici, qu'il a dit.

Alors là, j'ai pris la photo de Jésus-Christ et je l'ai jetée par terre. J'ai posé la corbeille à papier pardessus et je l'ai écrasée et puis j'ai donné un coup de pied dedans et j'ai couru me mettre dans le coin près de la fenêtre.

— Elle est à l'hôpital. Sa mère est très inquiète. Très. Peut-être voudrais-tu me raconter ta version de l'affaire ?

Ma gorge s'est mise à me faire mal. C'était tuant. Je lui ai crié « merde sale con » et ça m'a fait encore plus mal, alors j'ai crié, de plus en plus. Je criais, je criais.

Le Dr Nevele est retourné derrière son bureau. Il a rien dit du tout et il s'est assis et s'est mis à lire un morceau de papier comme si y avait personne. Seulement y avait quelqu'un. Y avait un petit garçon debout dans un coin. C'était moi.

— Il faut que je téléphone à mon papa, j'ai dit, je viens de me rappeler que j'avais quelque chose à lui dire.

Le Dr Nevele a secoué la tête sans me regarder.

Je suis allé m'appuyer contre son rayonnage à livres. Les étagères ont plié. En regardant le Dr Nevele, j'ai dit :

— Je te parlais pas à toi (mais il a pas levé les yeux), je parlais à Jessica.

— Jessica n'est pas ici.

Les livres se sont écrasés par terre et répandus à travers toute la pièce pasque j'avais poussé le rayonnage. Le bruit m'a fait peur. J'ai couru jusqu'à la porte et je l'ai ouverte. Le Dr Nevele s'est levé. Je l'ai refermée.

Maintenant il va m'apprendre, j'ai pensé. Il va me donner une leçon dont je me souviendrai. Il va me faire voir qui commande ici. Il va le faire pour mon bien et un jour je le remercierai. Et ça va lui faire plus mal qu'à moi.

Mais non, il m'a seulement regardé. Et puis il a dit très, très doucement :

— Tu veux la ceinture de contention?

Je le regardais. Il me regardait. On s

— Oui.

Je ne savais pas ce que c'était. Je l'ai regardé. Il a ouvert un tiroir de son bureau et il a pris une ceinture. Il m'a assis dans le fauteuil, il a mis la ceinture autour de moi et les boucles dans ma main. J'ai déjà vu ça, comme dans les avions, pas de trous. J'ai tiré sur la ceinture. Elle était serrée déjà, elle s'est serrée encore plus. Le Dr Nevele regardait. Elle était autour de mon ventre. Et je l'ai serrée, et puis je l'ai tirée vers le bas, sur mon zizi, et je l'ai encore serrée, serrée, serrée sur mon zizi tellement serrée que ça s'est mis à me faire si mal que je m'ai mis à pleurer, et j'ai encore serré. Sur mon zizi.

— Ça suffit, a dit le Dr Nevele.

Il s'est amené il a enlevé la ceinture et il l'a rangée quelque part. Il a pris le téléphone et il a fait des numéros mais pas assez. Il a dit :

— Dites à Mme Cochrane de descendre à mon bureau.

Et puis il est revenu se mettre accroupi devant moi et il m'a regardé sous le nez.

— Dis-moi une chose, une seule, sur cette petite fille, Gil, et tu pourras retourner dans ton aile. Quand l'as-tu vue pour la première fois ?

Je l'ai regardé pendant longtemps. Et puis j'ai dit quelque chose :

— Devant chez nous il y a une pelouse et j'ai pas le droit de marcher dessus pasque pourquoi vous croyez que papa paye un jardinier? Mais des fois, je la regarde depuis l'allée. Alors les nuages viennent, moi je reste sur l'allée et j'attends. Alors le vent se met à souffler comme quand il va pleuvoir. Mais il pleut pas. Le vent souffle. Il souffle tellement tellement que bientôt j'arrive plus à tenir debout.

« Alors je m'y mets. Je fais dix pas à reculons et je descends l'allée en courant et je saute. Et puis je remonte l'allée en courant et je saute. Et puis je redescends l'allée en courant et je saute et alors le vent me vient par en dessous et il me soulève au-dessus de la pelouse et il m'emporte tout le long du pâté de maisons, par-dessus toutes les pelouses où j'ai pas le droit de marcher. Je vole jusqu'à la maison de Shrubs, au coin. Le vent est toujours chaud. En hiver il est froid mais là j'ai le droit de marcher sur la pelouse pasqu'y a la neige.

Le Dr Nevele était appuyé contre la porte. Il a fait la grimace.

— Gilbert, plus vite tu décideras de m'aider, plus vite tu rentreras chez toi. Voilà tout. Autrement, tu risques de rester ici très longtemps.

— La ferme, je lui ai dit.

— Plaît-il ?

— Je te parlais pas à toi.

— A qui...

— Jessica.

— Je t'ai dit que Jessica n'était...

Je lui ai lancé la chaise à la figure. En la repoussant avec son bras, ça lui a déchiré sa manche et il s'est jeté sur moi en courant et il m'a attrapé et il m'a serré mais alors là vraiment fort seulement j'ai crié :

— Tu me chatouilles-yeu, tu me chatouilles-yeu !

La porte s'est ouverte. C'était Mme Cochrane. Elle était calme.

— Menez M. Rembrandt en Salle de Repos, a dit le Dr Nevele. Il y restera tant qu'il n'aura pas repris le contrôle de lui-même. Vous voulez de l'aide ?

Mme Cochrane est sortie et elle est revenue avec un bonhomme en chemise bleue, c'était un employé de la Résidence Home d'Enfants les Pâquerettes. Alors le Dr Nevele m'a lâché. Je m'ai frotté le nez sur ma manche et Mme Cochrane m'a pris la main.

Je lui ai dit :

— Vous savez, madame Cochrane, je peux marcher tout seul.

Elle a ri un peu couci-couça et elle m'a dit :

— Bon, ben donne-moi la main en tout cas, va..

Alors j'ai dit O.K.

Et maintenant je suis en Salle de Repos. Y a pas de meubles ici rien qu'une chaise. C'est tout carré là-dedans. Quatre côtés de la même taille. C'est de la géométrie. Je l'ai appris à l'école. (A l'exposition Sciences et Techniques j'ai vu une pièce avec un mur seulement, rien qu'un. C'était un cercle.)

Je déduis qu'il pleut dehors. Il pleut des cornes comme vache qui pisse comme y dit Jeffrey. (C'est mon grand frère, tu peux y aller, il peut te dire la marque de toutes les bagnoles. Mais alors toutes, hein.) Je vois bien qu'il pleut pasqu'il y a de l'eau qui coule sur mes mots là où j'écris sur le mur. Les Salles de Repos c'est des sales salles. Celui qui les a faites, je déduis qu'il était bête.

Il pleut. P-L-E-U-T. Il pleut.

En venant ici j'ai trouvé un crayon dans le vestibule. Mme Cochrane m'a pas vu le ramasser. Et après qu'elle m'a laissé là, j'ai fait quelque chose. Je suis grimpé sur la chaise contre le mur. Et j'ai écrit quelque chose avec mon crayon.

Quand j'avais cinq ans je m'ai tué.

J'ai écrit ça sur le mur de la Salle de Repos. C'est là que je suis, en train d'écrire.

3

La première fois que j'ai vu Jessica Renton, c'était pendant l'exercice d'alerte aérienne. C'était vers la fin du deuxième semestre, au printemps. Il faisait chaud dehors quand on est allé du bâtiment principal au préfa. Le préfa c'est comme une sorte de petite maison, derrière l'école, où y a les deuxièmes. J'étais en deuxième à ce moment-là.

(Le préfa sent comme une odeur, ça me plaît pas comme arôme. Le préfa est tout petit pour un bâtiment. Il n'y a que deux classes dedans. J'étais dans une. Jessica était dans l'autre. Je ne l'avais jamais remarquée avant l'exercice d'alerte aérienne.)

L'exercice d'alerte aérienne, c'est dix coups de cloche très courts. C'est très effrayant pour les enfants. Il y a des règles. On doit se mettre en rang par deux. On doit tirer les stores pour que les Russes y savent pas qu'on est là pour nous tuer. Ensuite on doit aller au bâtiment principal dans le calme. Là on doit s'aligner le long des casiers dans le hall et s'asseoir par terre et éteindre toutes les lumières et chanter *God Bless America* (Dieu bénisse l'Amérique). Ça fait très, très peur.

Les deux classes de deuxième étaient en rang devant le préfa, en attendant d'aller dans le bâtiment principal. Y avait pas de bavardage. (C'est une autre règle.) Tout le monde avait les trouilles pasque peut-être qu'il allait y avoir des bombes. J'avais les trouilles seulement personne ne le savait. Je suis un bon acteur, moi personnellement je trouve.

Et puis quelqu'un a parlé.

— Je rentre chez moi, hein, mademoiselle Young.

C'était une fille. Elle était brune, sans nattes (mais avec des barrettes, tout de même). Elle était là, un peu penchée, comme ça, les mains dans le dos, comme si elle faisait du patin à glace.

— Je viens de me dire qu'il fallait vous prévenir, pasque moi, je vais rentrer.

Mlle Young a dit :

— Jessica, veux-tu me faire le plaisir de rentrer dans les rangs ! On ne parle pas pendant un exercice d'alerte aérienne.

— Non, a dit Jessica. Je rentre chez moi — et elle a commencé à marcher.

Mlle Young était très fâchée. Elle a crié :

— Jessica, reviens ici tout de suite !

Jessica s'est arrêtée et elle s'est retournée. Elle est revenue et elle est allée devant Mlle Young et elle lui a parlé très doucement :

— Mademoiselle, si y va y avoir des bombes, je veux être chez moi avec mes parents. C'est là que je vais.

Mlle Young elle disait plus un mot. Elle restait là comme ça devant Jessica qui la regardait le nez en l'air. La robe de Jessica était rouge et très douce, ça se voyait qu'elle était douce rien qu'à la regarder. (Je suis fort pour regarder. J'ai le sentiment que la robe de Jessica était vraiment douce.)

Mlle Young regardait Jessica.

— Ce n'est pas une alerte aérienne, Jessica. C'est seulement un exercice, un entraînement. Il n'y aura pas de bombe. Ce sera fini dans quelques minutes, aucun besoin de rentrer chez soi. Remets-toi en rang s'il te plaît.

Jessica n'a pas bougé, même pas, rien du tout. Moi j'ai cru qu'elle allait se mettre à pleurer ou à — mais rien. Elle a parlé sans bouger.

— Vous savez, mademoiselle, j'avais très peur pasque je croyais que c'était dangereux. Mon papa va construire un abri dans la cave. Il l'a vu dans un journal. J'ai cru que c'était une vraie alerte aérienne. Je trouve que ce n'est pas bien de faire peur comme ça à des enfants.

Mademoiselle a pas dit de réponse mais Jessica est restée devant elle très longtemps, et quand les cloches ont sonné la fin de l'exercice d'alerte aérienne, elle était toujours debout au même endroit. Je l'ai regardée. Elle est restée jusqu'à ce que tout le monde soit parti. Elle était toute seule. Alors, vraiment lentement, elle a pris le bord de sa robe dans ses mains et elle a fait un grand tour et une révérence.

C'était ça la première fois que j'ai vu Jessica Renton.

4

Ce jour-là, j'ai pris par Marlowe pour rentrer de l'école. D'habitude, je descends Lauder, la rue dans laquelle j'habite, mais ce jour-là, j'ai passé par Marlowe.

J'attendais tout seul au carrefour. (D'habitude je rentre avec Shrubs mais il était en retenue pasqu'il avait dit merde à Mlle Filmer. Shrubs son vrai nom c'est Kenny. C'est un mauvais élève, toutes les maîtresses le détestent. Mais c'est mon meilleur ami. Je le connais depuis ma naissance. Il a exactement une semaine de plus que moi. Exactement. On est des frères de sang. Quand on avait cinq ans on s'est piqué le doigt avec une épingle et on a collé nos deux doigts l'un contre l'autre. Sauf que moi je l'ai pas fait pasque j'ai peur des épingles. Alors je m'ai refermé un tiroir d'un grand coup sur le pouce pour avoir du sang. J'ai gardé un plâtre pendant six semaines.)

J'avais commencé par descendre Lauder, comme d'habitude, seulement y avait les patrouilleurs de sûreté* au carrefour qui sont méchants. Y sont

* Des écoliers de 12 à 15 ans qui surveillent la sortie des écoles dans les banlieues américaines pour faire traverser les gosses (*N.d.T.*).

affreux. Y s'en prennent aux petits enfants. Que j'en suis justement un. J'avais mon dessin dans la main (pasqu'on avait fait de la peinture en classe quand on avait plus eu rien d'autre à faire) et j'attendais au coin que le patrouilleur dise « Allons-y ». Les patrouilleurs de sûreté écartent les bras comme ça et y disent « Ne bougeons pas » quand y a des voitures qui viennent et puis y disent « Allons-y » quand on peut traverser sans danger. C'est pour ça qu'on les appelle patrouilleurs de sûreté.

Pendant que j'attendais, le patrouilleur a vu mon dessin.

— Qu'est-ce que c'est, une grenouille ?

— Non. C'est un cheval, c'est moi qui l'ai dessiné.

Y m'a regardé, il était très grand.

— Non mais t'es dingue ou quoi ? qu'il m'a dit.

J'ai dit :

— Oui.

Il allait me taper. Mais mon dessin était tout à fait bon, moi personnellement je trouve, comme cheval. Il était vert. Je l'avais appelé Verdi.

Le patrouilleur me l'a arraché de la main, ce qui a déchiré la bouche à Verdi. Il s'est marré et puis y l'a montré à l'autre patrouilleur qui lui a dit d'arrêter de déconner. (Ils mettent deux patrouilleurs de sûreté à chaque carrefour pour qu'y puissent se mettre à deux sur les petits enfants.) Et puis il m'a rendu Verdi en disant « Allons-y ».

Mais j'y suis pas allé. J'ai dit :

— Est-ce que vous avez du papier collant pour arranger la bouche à Verdi ?

— Tu rigoles ? il a dit le patrouilleur.

— Vous l'avez déchirée.

— Casse-toi petit con, il m'a dit le patrouilleur en

me montrant le poing et j'ai vu qu'il avait les ongles tout noirs.

C'est pour ça que je suis rentré par Marlowe ce jour-là, et tout seul. J'ai traversé la première rue tout seul. D'abord il faut s'arrêter. Ensuite on regarde bien des deux côtés pour voir qu'y a pas de voiture qui vient. Et alors on traverse la rue en marchant pas en courant. Moi je suis fort pour les règles de sécurité. Je me suis jamais fait écraser.

Dans la rue Marlowe y avait des hélicoptères dans les arbres qui sont des petits machins verts qui tournicotent en tombant. C'est intéressant comme objet naturel moi personnellement je trouve.

Et puis il s'est passé quelque chose. J'ai vu Jessica qui marchait sur l'autre trottoir avec Marilyn Kane que je peux pas sacquer, pour ne rien vous cacher, pasque c'est une grosse conne, franchement. C'est aussi la meilleure amie de Jessica comme j'ai appris plus tard. Elles me voyaient pas. J'étais invisible. Mais j'ai ralenti et je m'ai baissé pour rattacher mon soulier. (Sauf que je l'ai pas fait vraiment pasque j'ai des mocassins qui sont super, mon vieux. Je me les ai fait acheter par ma manman. D'habitude elle m'achète des grolles de boy-scout que je déteste mais là je lui ai fait la grande scène du II dans le magasin de chaussures et elle m'a acheté les mocassins que je voulais. Y a pas une seule couture dessus, rien. Et y sont pointus en plus. Ma manman pousse des cris à chaque fois qu'elle les voit. Elle dit : « Pour ne rien te cacher, tu me fais honte. » C'est comme ça que j'ai appris Pour ne rien vous cacher.)

Jessica et Marilyn Kane descendaient la rue Marlowe. Je les ai regardées. Elles parlaient. Jessica balançait un sac à main avec des franges après. Je savais pas ce qu'il y avait dedans. Il allait et venait, allait et venait le long de sa robe et quand il la touchait ça faisait comme des sortes de vagues dans sa robe. J'ai pensé : Dans le sac y a une baguette magique qui se transforme en fleurs. Et avec on vous donne un chapeau, gratuit, j'en ai vu une chez Maxwell, le grand magasin.

La maison de Jessica était celle avec les volets bleus. Et en brique, pas en bois. Mais pas des briques rouges, des mauves. Elle est rentrée dedans c'est comme ça que je le sais. Elle est rentrée par la porte de côté qui donne dans l'allée. Dans son allée y a de l'herbe au milieu ce que j'aime pas autant que notre allée à nous qui est sans rien. Et aussi on a une porte de derrière, pas de côté.

(Marilyn Kane a descendu la rue Margarita. Elle habite dans Strathmoor. Dans des cabinets.)

Je me suis arrêté dans la rue en face de la maison de Jessica pour la regarder. Je me suis mis derrière un petit arbre. (Nous avons un petit arbre devant chez nous, il a encore du papier du magasin d'arbres autour du tronc. C'est comme ça que je reconnais notre maison. Quand il sera grand, moi aussi. Mais je pourrai reconnaître ma maison à cause du château sur la pelouse. Que je vais construire quand je sortirai d'ici. J'en ai déjà construit un une fois, mais avec Shrubs, avec de la boue. Mon père nous a fait la grande scène du II pasqu'il a dû louer un camion pour enlever toute la boue sur la pelouse. C'était un grand château. On allait le faire mauve.)

Il y avait du vent dans la rue Marlowe, ça m'a complètement décoiffé. Je me suis peigné avec les doigts. J'ai la raie sur le côté. Je voudrais bien avoir une banane, comme un rocker, mais ma manman elle veut la raie sur le côté. J'ai horreur de ça. Ça me tue, la raie sur le côté. Enfin, quand ils sont assez longs, je peux au moins mettre du Brylcreem dessus. Je trempe tout le peigne dedans et ça, mon vieux, c'est super.

(La grande scène du II, c'est encore avec ma manman que je l'ai appris. Elle dit que je la lui ai jouée.)

Il y avait des rideaux aux fenêtres de Jessica. Je les ai regardés pendant une demi-heure. Je pouvais savoir l'heure pasque j'avais ma montre que j'ai eue pour Hanoukah avant de la perdre.

Pendant que je regardais les rideaux de Jessica le trottoir s'est ouvert sous mes pieds. Heureusement je suis pas tombé pasque mes mocassins ont des trucs pour pas que je tombe. C'était haut — cinquante mètres et y avait des dinosaures et du feu. J'ai sauté par-dessus et j'ai atterri dans l'herbe. Et puis j'ai regardé de l'autre côté de la rue et j'ai vu que Jessica m'avait vu et qu'elle disait : « Oh la la, quel brave jeune homme ! »

Quand je suis rentré chez nous, ma manman m'a demandé pourquoi j'étais en retard. J'ai dit que j'avais eu un accident de voiture. Elle a crié. Mais je lui ai dit que tout allait bien pasque j'avais pas été tué, c'était quelqu'un d'autre. Elle s'est mise à hurler mais j'ai dit que j'avais oublié qui. Et puis je suis monté dans ma chambre pour jouer avec mes hommes.

— Papa, combien ça coûte des volets bleus ? que j'ai demandé pendant le dîner.

— Pourquoi ?

— J'vais en mettre à mon château.

— Moi vivant tu ne construiras pas un autre château.

— D'accord, que j'ai dit. Mais pour quand tu seras mort ?

Ensuite il a dit qu'il pourrait les avoir en gros mais je sais pas ce que ça veut dire. Peut-être que quand le bois est gros c'est moins cher que fin fin très joli, je sais pas.

Mauve. M-A-U-V-E. Mauve.

Et puis quelques jours après l'école a été finie pour les grandes vacances. Tout le monde a crié « Youpie ! ». Pendant l'été, j'ai joué avec Shrubs beaucoup souvent. On jouait à Zorro, lui c'était le cheval. Je lui ai appris à hennir. C'est comme tousser mais bien plus long. Notre bonne Sophie a dit que j'allais en faire un estropié, de Shrubs. C'est une négresse de couleur.

J'ai un costume de Zorro. J'ai aussi le costume de Robin des Bois et le costume de Peter Pan (qui ont le même pantalon) et la panoplie du Cadet de l'Espace et le Père Noël et Superman et le Docteur. Quand je joue à Zorro tout seul, je prends des traversins comme cheval. Je les prends sur le lit à ma manman et je m'en sers aussi pour faire les méchants et leur donner des coups de poing. Dans Zorro, le méchant c'est El Commandante. Il est à la télé. Le mois dernier, il a changé. Jeffrey a dit qu'il avait vu l'ancien El Commandante dans une pub pour Brylcreem mais c'est qu'un menteur, mon vieux.

Shrubs et moi on a fait un plan. C'était un signal. Fallait siffler comme les oiseaux. Le plan c'était que Shrubs, quand il irait se coucher, il nouerait ses draps et il se laisserait descendre par la fenêtre, et puis il viendrait chez moi et il ferait le signal et alors j'attacherais mes draps et je me laisserais descendre par la fenêtre et on jouerait à Zorro la nuit, comme en vrai.

L'heure que je me couche c'est neuf heures mais je peux rester plus longtemps à condition de faire toute une histoire. Mais ce soir-là je suis monté sans histoire. D'habitude manman vient nous border. Des fois elle nous chante. Elle est très excellente comme chanteuse. La chanson préférée de Jeffrey c'est *la Berceuse de la pleine lune,* et la mienne c'est *le Chien de chasse,* seulement manman la sait pas. Des fois elle vient pas nous border et je dois éteindre ma lumière tout seul. Debout près de l'interrupteur, je pointe mon doigt vers mon lit puis j'éteins et je cours là où montre mon doigt. C'est comme ça que je peux retrouver mon lit dans le noir. J'ai peur d'aller me coucher pasqu'y a des monstres dans mon placard. Je ferme la porte. Plus de fois on la pousse, plus elle est fermée. Avant de me coucher je pousse la porte de mon placard cinquante fois.

Le soir de notre plan il a fallu que je prenne un bain avant d'aller me coucher. J'aimerais être assez grand pour prendre des douches, mais je suis trop petit pour la faire marcher. Des fois je prends une douche avec mon papa. Il est tout nu avec des poils sur lui et sur son zizi. J'en ai pas sur le mien. J'aime pas prendre des douches avec mon papa.

Manman elle nous lit aussi avant qu'on s'endorme. Mon livre plus préféré c'est *Le petit chien qui voulait un petit garçon.* Le plus préféré de Jeffrey c'est *Le petit autocar qui tombait en morceaux.* Des fois manman invente d'autres histoires et des fois elle invente d'autres chansons. Elle en a inventé une qui s'appelle *Tous les enfants du quartier.* C'est sur l'heure d'aller au lit dans la rue Lauder. Y a tous les noms des enfants de la rue et puis ensuite ça fait

Eux ils font dodo et toi ?
Chut, chut, chut, chut,
Eux ils font dodo et toi ?

La peur que ça me fait, mon vieux !

Ce soir-là on s'est assis sur mon lit et manman a pris un livre. Mais c'était pas pareil.

— Ce soir, nous allons raconter une histoire un peu particulière. Votre père et moi nous avons le sentiment qu'il est temps que vous appreniez certaines choses, les garçons. Ce livre a pour titre *la Petite Graine.* Bientôt vous serez de grands garçons, presque des hommes, et il y a des choses que vous devez savoir.

— Comment ça se fait que je suis un grand garçon alors qu'hier j'étais un bébé pasque je me traînais dans la saleté ? que j'ai demandé.

Elle a commencé à tourner les pages du livre qui était même pas en couleurs.

— Est-ce qu'y a des petits chiens, manman ? que j'ai encore demandé. (Je pensais que peut-être y aurait des histoires de petits chiens.)

— Non, chéri, elle a répondu. C'est une histoire sur des gens qui existent comme toi, comme Jeffrey, papa et moi.

— La barbe, il a dit, Jeffrey en faisant comme ça avec ses yeux pour faire les yeux blancs.

Et maman lui a dit :

— Continue comme ça, un jour tu seras aveugle, tu seras content.

La Petite Graine c'était l'histoire d'enfants que leur

mère attendait un bébé alors ils vont à la ferme avec leur grand-père qui leur montre des poulets, des œufs et tout. C'était barbant, mais alors barbant à mort. Moi j'étais énervé pasque je savais que Shrubs allait venir, pour notre plan.

Elle s'est enfin arrêtée de lire et elle est partie et j'ai mis mon costume de Zorro sous les couvertures. Et puis j'ai attendu. J'attendais, j'attendais. Il faisait chaud dans mon lit avec mon costume de Zorro. Et puis j'ai entendu Shrubs dehors qui criait : « Gil ! ». Je suis sorti de mon lit. J'ai commencé à nouer mes draps. Et puis la lumière s'est allumée. C'était ma mère.

— Gil, Kenneth est là, dehors, il t'a appelé, il prétend que vous vous êtes mis d'accord pour jouer dehors ce soir. Il n'en est absolument pas question, tu m'entends ?

Et puis elle m'a vu avec mon costume de Zorro, elle m'a regardé.

— Bon, ben, ça ira pour une fois, j'imagine. Jeffrey va vous accompagner. Regarde un peu ce que tu as fait de mes draps tout propres.

Elle m'a emmené en bas. Toutes les lumières étaient allumées. Mon papa regardait la télé. J'avais mon masque et mon chapeau de Zorro et manman m'a pris le masque en disant :

— Attends un peu que je t'arrange ça, voilà, il est droit maintenant, et puis elle a ajouté : Bon je te donne quinze minutes.

On y est allé. Tout de suite j'ai couru me cacher derrière un arbre, bien baissé. Je guettais El Commandante. C'est un malin, señor. Il était sur la piste des sept milles, à la station Wells Fargo, avec des prisonniers que j'allais libérer, alors je m'étais caché derrière un arbre en attendant mon cheval pour pouvoir galoper dans la nuit quand la lune d'argent luit. J'allais voler au secours de Jessica qui était en prison pour avoir des volets bleus ce qui est strictement interdit. J'ai entendu El Commandante. J'ai tiré mon épée.

— Qu'est-ce que tu fabriques avec ce crayon, Gil ? qu'il a dit, Jeffrey. Il est à moi, tu l'as pris sur mon bureau.

Il était en train de parler à Shrubs de son dernier modèle réduit, c'était une Thunderbird. Shrubs lui a demandé combien y avait de pièces et Jeffrey lui a dit mille que c'était seulement pour les grands. Et Shrubs a demandé s'il pourrait regarder Jeffrey la monter et Jeffrey a dit non pasque Shrubs il l'aurait cassée.

Y avait que moi qui jouait à Zorro.

J'ai crié :

— Venez amigos ! On y va !

Jeffrey m'a dit :

— Qu'est-ce que tu racontes ? Dépêche-toi de finir qu'on puisse rentrer.

Alors on a fait une fois le tour du pâté de maisons, en marchant simplement comme ça. Et puis on est rentré chez nous. Ma manman a demandé si on s'était amusé mais je suis seulement monté dans ma chambre et j'ai pointé mon doigt vers mon lit. Pasque ce soir-là j'ai éteint ma lumière tout seul.

5

La nuit dernière c'était ma deuxième nuit à la Résidence Home d'Enfants les Pâquerettes. J'ai rendu à côté de mon lit.

Ça a commencé quand j'ai eu mon rendez-vous avec le Dr Nevele hier. Il savait que j'écris sur le mur de la Salle de Repos mais il m'a dit que c'était permis. Il a dit :

— Peut-être que Gilbert s'exprime mieux par écrit coralement.

Je sais pas ce que c'est coralement, je crois que c'est une sorte de musique.

Chez nous j'ai pas le droit d'écrire sur les murs, si je le fais, j'y ai droit. Mais une fois j'ai dessiné un cheval sur le mur de ma chambre et j'ai eu la fessée. J'en étais à la crinière quand manman est entrée. Tout de suite elle a crié :

— Pourquoi crois-tu qu'est fait le papier, pour les chiens ?

— Mais non, j'ai dit, pour faire des avions !

Alors elle m'a donné une baffe. Et elle a dit :

— Non mais dis donc, à qui parles-tu, hein ? Tu me prends pour une de tes copines.

Et moi j'ai dit :

— Je croyais qu'on était copains.

— Tu vas me nettoyer ça tout de suite mon bonhomme.

— Non.

— Nettoie-moi ça je te dis.

— Non, c'est ma chambre et je dessine si je veux.

— Ce n'est pas ta chambre, qui crois-tu qui la paie ?

— Qui ?

— Ton père.

— Je la lui paierai alors.

— Comment ?

— Je travaillerai.

— Quel travail ?

— Je vendrai des trucs.

— Quel genre de trucs ?

— De la limonade.

Mais j'ai dû nettoyer. Ça m'a prit toute une journée. Avec du Vim.

A mon rendez-vous, le Dr Nevele m'a fait asseoir dans le fauteuil où j'avais eu la ceinture de contention. Il m'a souri mais c'était de la frime, il m'a laissé longtemps assis sans me dire un mot. Puis il a commencé :

— Parle-moi de ton école, Gil.

J'ai regardé le tapis de son bureau. Il est marron avec comme plein de petits morceaux. Et j'ai pensé, c'est des maisons de la ville tout en bas où des assassins grouillent à chaque coin de rue pour voler les choses des personnes innocentes. Ici en haut dans le ciel je peux me servir de mes yeux aux rayons X pour les voir et plonger jusqu'en bas les obliger à les rendre.

Le Dr Nevele m'a regardé.

— Quelles sont les maîtresses que tu aimes le mieux, Gilbert ? Il y en a bien une que tu préfères.

Une petite fille était montée sur le toit d'une des maisons en bas poursuivie par un voleur. J'ai crié : « Ne vous en faites pas, je vais vous sauver ! » et je me suis levé de ma chaise et je me suis laissé tomber dans les nuages, je les ai traversés et je lui ai donné une raclée et je l'ai sauvée. Elle portait une robe rouge avec comme des sortes de vagues dans le tissu.

— S'il te plaît, Gilbert, assieds-toi. Les fauteuils sont faits pour s'asseoir, pas pour grimper dessus. Tu ne ferais pas ça chez toi, tout de même ? a dit le Dr Nevele.

— Je te parlais pas à toi, que j'ai dit, moi.

— Elle n'est pas ici, qu'il m'a répondu en secouant la tête, et j'ai donné un bon coup de pied dans le fauteuil qui est tombé contre son bureau et qui a renversé la lampe de dessus que l'ampoule a explosé.

Le Dr Nevele n'a rien dit sauf :

— Quelle est ta matière préférée à l'école ?

Alors dehors dans le vestibule j'ai entendu des roues et j'ai pensé : C'est un chariot de foin et caché dedans il y a Shrubs seulement personne peut le voir et il va sauter dehors et me lancer mon épée et je la pointerai contre le Dr Nevele et je renverserai la tête en arrière et je partirai d'un grand rire avant de m'éloigner au galop. Alors j'ai couru dans le vestibule mais je n'ai pas vu Shrubs. C'était une chaise roulante avec une fille dedans qui n'avait presque pas de cheveux et ses mains étaient comme des griffes. Je suis rentré dans le bureau du Dr Nevele et je me suis rassis. Il ne m'a rien dit du tout.

— Est-ce que je peux avoir la ceinture de contention ? j'ai dit.

— Plaît-il ?

— Je peux avoir la ceinture ?

Le Dr Nevele a secoué la tête, lentement, comme mon papa avait fait, une fois, quand il a dû endormir notre chien.

— S'il vous plaît, m'endormez pas, que j'ai murmuré tout bas.

J'ai regardé par terre mais y avait plus de maisons, rien qu'un tapis. Le Dr Nevele secouait la tête.

— Est-ce que tu me parles, maintenant, Gilbert ? qu'il m'a demandé.

Et j'ai répondu :

— Je sais pas.

Et je me suis mis à pleurer.

Il a écrit quelque chose dans son cahier pendant longtemps et moi je restais assis sans rien faire. Puis il a refermé son cahier et il a dit que si j'en avais envie je pouvais aller dans la Salle de Repos et écrire des choses, si je ne voulais pas en parler. Mais je n'y suis pas allé.

Non, je suis allé dans la Salle de Jeu. C'est une salle, il y a des jouets dedans pour jouer avec et même une jungle pour rire en plastique qui est bien pour grimper dedans et jouer à Tarzan. Je sais très bien faire Tarzan, je sais faire le cri.

Il y a un petit carré découpé dans la porte de la Salle de Jeu pour qu'on puisse regarder dedans depuis le vestibule. C'est ce que j'ai fait. Y avait des enfants qui tombaient de la jungle en plastique et qui se cognaient la tête, et d'autres enfants qui cavalaient partout comme des dingues. J'en ai déduit qu'ils étaient dérangés. Et il y avait un homme avec eux qui avait les cheveux roux et des chaussures blanches comme les médecins. Je l'ai regardé par le carré.

C'était comme une sorte de docteur des enfants dingues. D'un seul coup il est venu vers moi, il a ouvert la porte il m'a regardé et il a dit :

— Tu les a à l'œil un moment, je reviens tout de suite, d'accord ?

Un petit garçon était assis tout seul dans un coin de la Salle de Jeu pasque personne voulait jouer avec lui. C'était un nègre de couleur. Il levait la main devant ses yeux et il gigotait les doigts comme pour se dire au-revoir à lui-même. Il se balançait sur le plancher, d'avant en arrière, d'avant en arrière. Bateau-ciseau, bateau-ciseau, bateau-ciseau, comme ça, sans jamais s'arrêter.

— Ça marche ?

C'était le roux, il était revenu.

D'abord j'ai rien voulu dire et puis il m'a regardé avec ses yeux et ils étaient marron avec des petits morceaux verts dedans comme ceux de Jessica.

— Y a un petit garçon là-dedans, que je lui ai dit, qui se fait au-revoir au-revoir à lui-même.

Le roux m'a regardé. Il m'a tendu la main en disant :

— Je m'appelle Rudyard.

Mais je lui ai pas serré la main. J'avais pas envie. J'avais trop peur. Mais y m'a souri quand même. Et il a dit :

— En fait, c'est bonjour bonjour qu'il fait.

Et il est retourné dans la Salle de Jeu.

Moi j'ai regagné mon aile. J'avais sommeil. Je m'ai assis sur mon lit. Il a des draps. A la maison, j'ai pougnougnou, ma couverture. Elle est bleue. Je l'ai depuis que je suis tout bébé. Ma manman veut la jeter mais moi je l'en empêche. Une fois j'ai fait quelque chose. J'ai fait pipi sur pougnougnou. Ça sentait très âcre.

Mon lit est au milieu de la rangée. Y a six lits dans mon aile et quatre autres enfants. Je connais pas leurs noms encore, sauf un. Il s'appelle Howie, il dort dans le lit d'à côté, il a des cicatrices partout de quand il a jeté un bidon d'essence dans le feu. Il est méchant. Je lui ai demandé si y avait des hot-dogs à la Résidence Home d'Enfants les Pâquerettes et y m'a dit cause à mon cul ma tête est malade. (C'est des gros mots.) Le lit d'à côté du mien, de l'autre côté est vide. Peut-être qu'un petit garçon va venir y dormir qui sera mon ami.

Je m'ai assis sur mon lit et je m'ai mis à pleurer pasque je voulais rentrer chez nous. Alors je m'ai enfoncé la figure dans l'oreiller et je l'ai appuyée jusqu'à ce que je dorme. Et j'ai fait un rêve.

C'était chez nous et c'était pas chez nous. On était dans le salon à regarder Popeye à la télé, ma manman, mon papa et Jeffrey. Alors y a un monsieur qui est venu faire un communiqué qu'il allait y avoir une tornade. J'ai sauté et j'ai commencé à crier :

— Venez vite tout le monde, faut descendre se mettre à l'abri à la cave !

Mais personne a bougé. Manman s'est moquée de moi, elle a ri en disant :

— Ne te conduis donc pas comme un tout petit bébé, Gil, voyons !

Jeffrey était par terre. Il regardait des voitures dans un magazine. Il avait dit que je pouvais pas regarder avec lui. Je regardais par la fenêtre et je voyais que le ciel était tout noir alors je criais :

— Vite, dépêchez-vous !

Mais personne bougeait. Ils faisaient comme si

j'étais même pas là. Ils se parlaient. Ma manman a dit : « Attention pas de chahut. » Et mon papa m'a demandé si j'avais pris mon bain. « Pas de bain, pas de Zorro à la télé. » Derrière lui, par la fenêtre, je voyais la tornade qui s'amenait, elle était noire et longue et se tortillait tellement que je voyais pas dans quel sens elle allait. J'ai couru jusque dans la cave. Je m'asseyais sous l'escalier et j'écoutais pour voir quand les autres arrivaient. Mais j'entendais rien que le bruit de la tornade. Ça faisait le bruit d'un train mais si fort que ça faisait mal aux oreilles. Et ça devenait de plus en plus fort, de plus en plus fort. Ça venait sur notre maison. Et je criais :

— S'il vous plaît les gars ! S'il vous plaît venez ! Dépêchez-vous !

Je criais si fort que j'en étais malade et je pouvais même plus m'entendre. Tout se mettait à trembler. Un verre se cassait. Alors je regardais vers la porte. Y avait Jessica, ses lèvres remuaient mais j'entendais rien. Je disais « Quoi ? » mais j'entendais toujours rien. La tornade rugissait comme des lions à l'intérieur de moi et puis Jessica faisait un grand tour et une révérence et elle s'en allait. Je lui courais après mais j'avais peur de sortir de la cave avec la tornade. J'avais la frousse. T'es qu'un trouillard mon vieux. Alors j'hurlais j'hurlais. Et Jessica se retournait et me regardait et elle disait : « Pourquoi tu m'as fait ça, Gil, ce que tu m'as fait ? » Et je me mettais à pleurer. « Pourquoi tu l'as fait ? » elle disait encore et la tornade était à l'intérieur de moi et je me mettais à genoux et je posais ma tête par terre et je disais : « Oh, s'il te plaît Jessica, deviens pas morte, s'il te plaît deviens pas morte. »

Quand je m'ai réveillé je savais pas où j'étais. J'ai rendu pasque j'avais tellement peur.

Y z'ont dû faire venir un portier pour nettoyer ce matin. Howie a dit que j'étais un bébé puisque je rendais et j'ai pas trouvé rien à lui répondre.

Et aujourd'hui j'avais de nouveau le Dr Nevele. Je lui ai demandé si ma lettre que Jessica m'avait écrite était arrivée. Je lui ai dit que le soir où on avait fait ça elle avait dit qu'elle m'écrirait une lettre si jamais on était séparés.

— N'y compte pas, m'a dit le Dr Nevele.

Je lui ai plus parlé après ça. J'ai croisé les bras et je m'ai assis. Et j'ai parlé à Jessica. Et quand il m'a encore dit que Jessica était pas là, j'ai piqué les papiers sur son bureau et j'ai commencé à les déchirer. Mais il m'a simplement regardé et je les ai pas déchirés.

— Vas-y, il m'a dit, déchire-les, ou alors, s'il te font tellement envie, garde-les, tu peux les emporter.

C'est ce que j'ai fait.

Je suis allé dans la Salle de Repos. C'est là que je suis en ce moment. J'ai écrit quelque chose sur le mur. Z. Comme Zorro.

(Acre, c'est un mot de mon papa, il le dit pour les radis noirs.)

Rembrandt, Gilbert (suite)
12/3

En ce qui concerne l'interaction verbalisée avec le thérapeute, la résistance du patient reste extrême. Le patient refuse en effet de s'adresser directement à moi, préférant pour les échanges verbaux une forme de transfert prolongé. C'est-à-dire qu'il communique avec moi par l'intermédiaire de la présence imaginaire de la petite Jessica Renton (voir dossier s7, rubrique I). J'estime que cette attitude est fonction de deux affects qui se recoupent et se renforcent mutuellement : a) l'enfant refuse d'affronter la réalité du mal qu'il a effectivement fait à Jessica qui, au moment où j'écris ces lignes, est encore en observation au New Mercy Hospital (la transmission des rapports médicaux a été sollicitée par lettre 12/1), il crée donc sa présence ici, intacte, afin de prouver le contraire et b) l'enfant se sert de cette tierce personne pour s'adresser indirectement au thérapeute. Au moyen de cet ingénieux transfert de personnalité, il s'adresse à elle et c'est moi qui l'entends. Ces deux symptômes me semblent pathogènes sinon pathologiques et interviennent l'un et l'autre dans la condition du jeune patient.

Car il n'en demeure pas moins que tout traitement efficace de ce cas passe obligatoirement par une restauration de la *communication verbale directe.* Le fait qu'il écrive sur le mur (cf. 12/2) tend à prouver que l'enfant présente une forte inclination langagière, il est d'ailleurs très doué (champion d'orthographe de son école) et j'y vois une preuve supplémentaire du fait que là est bien le nœud du problème et la principale voie à explorer.

Divers symptômes manifestés par le patient donnent à penser qu'il souffre d'un complexe du justicier. Dont la fonction, ici encore, est double : a) Transfert de culpabilité. En se hissant au statut de héros, on crée du fait même un méchant extérieur que l'on peut charger de tous les péchés du monde, soulageant du même coup sa propre culpabilité pour toutes les mauvaises actions qu'on peut avoir commises ; b) Une conduite de fuite. D'ailleurs sociopathologique. Les allusions constantes au vol, à l'essor, au saut. Il s'agit de se placer soi-même en dehors — et au-dessus — de la société. C'est une manière symbolique d'accomplir ses très fortes tendances antisociales.

Pour le moment toutefois, le thérapeute auteur du présent rapport estime que les accès de rage incontrôlable constituent le problème le plus grave et le plus urgent du patient. Il s'agit d'une véritable anomalie de comportement, socialement inadéquate et frisant la psychopathie. Le patient constitue une menace pour son entourage et doit, pour cette raison, faire l'objet d'une surveillance constante (c'est-à-dire qu'il convient comme mesure conservatoire minimale de le maintenir confiné momentanément entre les murs de notre institution), bénéficier de très peu de faveurs et ne jamais se voir offrir l'occasion d'exercer sa violence. Ce comportement ne sera en aucun cas toléré ici.

J'ai recopié ça sur le mur dans les papiers que j'ai pris dans le bureau du Dr Nevele pasque je m'ennuyais, mais j'y comprends rien. C'est des trop grands mots.

6

Après les grandes vacances, il a fallu que je retourne à l'école. J'avais oublié l'école à cause des vacances qui sont longues quand on est un enfant. Je déteste l'école. Y faut se lever tôt. Ma manman me réveille en venant dans ma chambre et en me caressant la tête et puis en me tapotant les fesses (qui sont sous pougnougnou ma couverture) et puis elle s'approche tout près tout près de ma figure et elle chuchote : « Gil, mon chéri, c'est l'heure de se lever. » Elle chuchote si doucement, si gentiment, je voudrais la tuer. Si seulement je pouvais avoir un réveille-matin !

Je me lève. Je vais aux cabinets. Puis je me lave les dents et la figure. (J'aime mieux la salle de bains du premier qui est bleue. Celle du rez-de-chaussée est rose comme pour une fille.) Et puis je m'habille. Je sais m'habiller tout seul. Manman arrange mes affaires la veille sur l'autre lit qui y a dans ma chambre oùsque Jeffrey dormait sauf que maintenant il a sa chambre pour lui tout seul oùsque Sophie dormait avant sauf que maintenant elle y dort plus. Je sais pas où Sophie dort. Je crois qu'elle dort pas.

Je déteste mes habits, y sont moches. Larry Palmer, lui, ses habits sont super-chouettes. Il est rudement à la mode, mon vieux, avec des vraies fringues de travail. Et une banane comme sur la pub pour Brylcreem.

Quand je suis habillé je descends pour le petit déjeuner que manman fait et que je peux pas encaisser, pour ne rien vous cacher, pasqu'y me donne envie de dégobiller tripes et boyaux. J'ai jamais faim pour le petit déjeuner mais elle m'oblige à le manger. C'est des œufs brouillés avec comme de l'eau tout autour. Ma manman s'assied sur sa chaise oùsqu'elle s'assied toujours, au bout de la table, tournée sur le côté pour être en face de moi. Je m'assieds sur la chaise à Jeffrey pour le petit déjeuner pasqu'il s'en va avant moi. Manman a sa robe de chambre rose. Elle a un filet sur les cheveux. Elle a des pantoufles qui lui pendent des pieds comme ça alors on est obligé de les regarder. Elle a du vernis rouge sur les ongles de ses doigts de pieds qui est tout écaillé et qu'on peut pas s'empêcher de regarder non plus, comme ses jambes qui ont des veines dedans qui sont bleues. Elle a comme une odeur de lotion qu'elle sent de l'autre côté de la table. Y faut que je mange des œufs brouillés pleins d'eau en sentant l'odeur de sa lotion.

Au petit déjeuner, tout reste très coi pasque c'est très tôt le matin. Je peux entendre la pendule du salon. Elle fait tic-tac. Ma manman elle boit toujours une tasse de café. Elle regarde le mur avec des grands yeux. Elle l'aspire en faisant *chlllpp!* Et puis elle le garde dans sa bouche pendant une heure. J'attends. Tout est silencieux. Tic-tac. J'attends. Et puis alors elle l'avale. Ça fait le bruit d'une grosse vague déferlante. Alors elle me donne mon déjeuner à emporter. Il est dans un sac en papier d'emballage. Un sac neuf. J'ai un sac neuf tous les jours. Elle le replie trois fois et lui met des agrafes. Y a d'autres enfants qui viennent avec un sac tout froissé, comme ceux de l'orphelinat. D'autres enfants ont des boîtes à déjeuner avec des dessins dessus ce que je trouve cucul la prâline moi personnellement.

Je mange pas mon déjeuner. Je le mets dans mon casier et je le laisse là pourrir. La raison c'est que j'ai de la pleurodynie. C'est une maladie, mon docteur le dit, quand j'ai des crampes et puis la diarrhée. Et ça s'appelle pleurodynie. C'est un point de côté, en somme, mais je déduis que, si je mange pas, j'en aurai pas, malgré que je soye un gros mangeur et qu'à la maison je soye toujours le chef du commando des nettoyeurs d'assiette.

A l'école, y a aussi une cantine oùsqu'on peut acheter à déjeuner pour trente-cinq *cents*. On se met en rang pour faire la queue et les cuisinières sont toutes grosses avec des doigts rouges et un filet sur les cheveux. On a du lait dans des petites bouteilles. Il est tiédasse pasqu'ils le gardent tout près de là oùsqu'y a les chiffons pour nettoyer les tables quand on a fini de manger. L'eau est grise avec des morceaux de choses à manger qui flottent dedans. Ça sent le vomi. On frotte la table avec le chiffon et y laisse une espèce de trace blanche. J'achète pas de lait à l'école vraiment souvent

Des fois c'est moi qui suis chef de table et je dois nettoyer après le déjeuner. On risque d'être en retard pour rentrer en classe. Une fois j'ai pris un grand balai et je m'en suis servi pour balayer la table et Mlle Smith a dit qu'elle allait me tordre le cou. (Mlle Smith est prof de gym ; elle surveille le déjeuner pasque le réfectoire est installé dans le gymnase, avec des sortes de tables qui rentrent dans les murs comme ça. Mlle Smith pense qu'elle est un homme. Elle porte des blousons et elle a pas de lèvres du tout.)

Le jour de la rentrée, Shrubs est passé me chercher et ensuite on est allé chercher Morty Nemsick qui habite la porte à côté et qui est dingue, pour ne rien vous cacher. Et puis on est allé à l'école. Qui est exactement à trois pâtés de maisons et demi, exactement.

Pour commencer, on a eu assemblée générale.

Les assemblées générales c'est dans l'auditorium. Qui est aussi une classe. J'ai déjà eu auditorium des fois. On y fait du théâtre. Des pièces. Le dernier semestre, une autre classe avait monté *le Merveilleux Magicien d'Oz*. Ils ont gagné un prix. L'auditorium est une classe spéciale. La moitié de la journée, on a classe dans notre salle, dans le préfa, et l'autre moitié on a des matières spéciales dans d'autres salles.

(C'est dans l'auditorium que j'ai vu des vagues déferlantes une fois dans un film sur la mer, en assemblée générale. C'est des vagues très très grosses, elles se défont lentement.)

Ce jour de la rentrée, on est allé en assemblée juste après l'appel dans nos anciennes salles de classe. Pour aller à l'auditorium il faut de l'ordre. Pas de bavardage, les filles d'un côté, les garçons de l'autre. On attend debout avant de s'asseoir. Chaque classe a sa place. Je m'ai assis près de Shrubs pour qu'on puisse chahuter. Quand on s'est assis il a sorti un stylo qu'il avait oùsqu'on voyait une fille dedans que sa robe elle tombait quand on la retournait à l'envers. Il l'a acheté soixante-quinze *cents* au patrouilleur du carrefour de Seven Mile Road qui est un voyou. Le stylo m'a donné comme une sorte de drôle de chatouillis dans le ventre, sous le ventre. Tout le monde l'a regardé, on était au milieu d'une rangée. Et puis Mlle Filmer s'est amenée alors Shrubs l'a caché sous sa chemise.

Pour l'assemblée générale, on eu le brigadier Williams. On l'avait déjà eu avant, c'est un flic. Il a un pétard et tout. On lui dit toujours « Descendez Mlle Filmer, feu ! » mais y la descend jamais. C'est un peintre. Il a un chevalet et il dessine les histoires en même temps qu'il les raconte. C'est barbant, mon vieux, c'est pas possible. Il a dessiné un feu, c'était trois ronds, un rouge, un orange et un vert, et puis il nous a dit de faire encore plus attention en hiver quand on traverse à cause que les rues sont glissantes et il a transformé le feu en bonhomme de neige. Il a dessiné un vieux hibou sagace et il l'a changé en bicyclette seulement je sais pas comment pasque je regardais Shrubs retourner son stylo.

Mais alors il est arrivé quelque chose. Mlle Filmer a vu. Shrubs a essayé de le planquer mais trop tard. Elle s'est penchée par-dessus quatre élèves et elle a voulu prendre le stylo, seulement Shrubs a tiré dessus et elle m'est tombée sur les épaules. Elle était rudement lourde pour une maîtresse. Elle a pris le stylo.

— Où avez-vous trouvé ça, mon garçon ?

— Chaipas. (Shrubs dit toujours « chaipas » quand on l'engueule.)

— Qu'est-ce que ça veut dire « je ne sais pas » ?

— Chaipas.

Mlle Filmer s'est mise en rogne.

— Vous allez me répondre oui !

Et Shrubs a dit :

— Chaipas ce que ça veut dire « chaipas ».

— Mais vous ne savez jamais rien, vous, c'est ça ?

— Chaipas, qu'il a encore dit Shrubs.

Mlle Filmer a essayé de lui donner une gifle mais il a baissé la tête et c'est moi qui ai pris. Ça m'a même pas chatouillé. J'ai essayé de me lever mais comme elle était encore à moitié appuyée sur moi elle a basculé et elle est un peu tombée par terre et le stylo est tombé et il a roulé sous les chaises jusqu'au bout de l'auditorium et tout le monde essayait de le ramasser.

Le brigadier Williams a dessiné un signal de passage à niveau et il l'a transformé en patrouilleur de sûreté. (La croix est devenue les deux ceintures de travers.)

C'est Sylvia Grosbeck qu'a ramassé le stylo et l'a donné à Mlle Filmer. La Filmer l'a mis dans sa poche et elle a fait comme ça avec son doigt à Shrubs, ce qui voulait dire viens un peu ici.

— Viens me chercher ! qu'il a dit Shrubs (il était fou furieux).

Et elle l'a fait.

Le brigadier Williams a regardé ce qui se passait et ça lui a fait louper la figure du patrouilleur de sûreté et Marty Polaski a gueulé : « Houou ! Défiguré pour la vie ! » Alors Mlle Filmer l'a attrapé lui aussi et elle les a tirés tous les deux jusqu'au fond de l'auditorium et son bureau. On l'entendait crier et un petit, au premier rang, s'est mis à pleurer tout fort et le brigadier Williams a dit un poème :

Les policiers sont tes amis quand tu te perds.
Les patrouilleurs de sûreté sont là pour te faire traverser.
Je m'arrête au rouge et je passe au vert.
Ce sont les règles de sécurité.

Et puis la cloche a sonné et tout le monde s'est mis à faire du bruit. Mlle Kolshar a dit : « Ce n'était pas le signal du début des bavardages. » Mais personne ne savait quoi faire pasque c'était la rentrée, le début d'un nouveau semestre et personne savait dans quelle salle aller. Les maîtresses se sont réunies sur l'estrade de l'auditorium et tous les élèves ont commencé à dire bonjour à des voisins. Je me suis demandé où était Shrubs. J'ai pensé que Mlle Filmer l'avait tué.

Et puis Mlle Murdock est arrivée. C'était ma maîtresse quand j'étais en première année. Elle a dit que tout le monde retourne à sa salle de classe où il était l'an dernier et de passer par ici et par là, sauf ceux qu'elle allait lire les noms et elle a lu des noms et y avait le mien de nom. Tous les autres sont partis. J'ai commencé à suer pasque je voyais pas Shrubs. Je pensais que Mlle Filmer l'avait tué. Et je pleurais presque. Elle est sortie de son bureau avec les bras croisés et alors d'un seul coup je m'ai levé. Et je suis allé la trouver sur l'estrade de l'auditorium et pendant que je marchais je m'ai dit que j'étais au sommet d'une montagne très haute et que tous les autres étaient en bas et qu'il y avait du vent qui me soufflait. Je m'ai arrêté juste devant Mlle Filmer et j'ai crié :

— Qu'est-ce que vous avez fait à Shrubs ! que j'ai crié. Si vous lui avez fait du mal, je vous tue, je le jure devant Dieu !

Et puis j'ai fait pipi dans mon pantalon et je me suis mis à pleurer tout fort pasque je pensais que tout le monde y z'avaient vu et puis la porte de l'auditorium s'est ouverte et c'était Jessica et elle a vu.

Je pleurais et je suis allé m'asseoir. J'avais justement classe d'auditorium, c'était pour ça que Murdock elle avait lu mon nom.

M. Stolmatsky est entré. C'est un maître mais c'est aussi un acteur dans une université. C'était lui qui s'était occupé du *Merveilleux Magicien d'Oz* quand on l'avait monté pour le concours au semestre précédent. Et puis Mlle Filmer a fait une annonce :

— Puisque la quasi-totalité de la distribution du *Magicien d'Oz* se trouve dans cette classe, M. Stolmatsky a demandé si nous pouvions utiliser cette heure pour répéter en vue du concours qui doit avoir lieu à Lansing.

Je suis resté assis tout seul.

M. Stolmatsky a alors demandé à la troupe de monter sur scène. Jessica s'est levée. Elle était Dorothy. Elle portait la robe rouge qui avait comme de petites vagues dedans quand elle marchait. Il y avait aussi trois garçons. Ils restaient debout sans rien faire. Et il y en avait un quatrième sur le côté de la scène qui soufflait sur son poing. Plus tard, j'ai appris que c'était censé être un micro et que lui faisait le bruit de la tornade. M. Stolmatsky est allé tout au fond de l'auditorium et il a crié :

— Allez, sur les planches, les amants de Thespis ! (Je n'ai pas l'ombre d'une idée de ce que ça peut bien vouloir dire.)

Et puis Jessica s'est retrouvée au milieu de la scène. Elle s'est mise à dire des mots.

Elle disait :

— Tata M, Tata M.

C'était très doux, très bas. M. Stolmatsky a dit qu'il entendait rien mais Jessica l'écoutait pas pasqu'elle regardait quelque part dans le vide. Je voyais très bien ses yeux de là où j'étais, loin pourtant. Ils étaient verts avec des éclats bruns dedans. Elle est restée longtemps à regarder comme ça sans rien faire d'autre et tout le monde attendait. Et puis, très lentement, elle s'est mise à genoux. Elle était à genoux et elle murmurait :

— Tata M, Tata M.

Le garçon qui était sur le côté de la scène a arrêté de souffler sur son poing. Personne ne bougeait. C'était un vrai silence. Jessica a murmuré « Tata M, Tata M », et puis elle s'est tue. Ses lèvres bougeaient mais il n'en sortait aucun mot. Elle s'est allongée par terre et elle a posé sa tête sur son bras.

— Qu'est-ce qui se passe ? a crié M. Stolmatsky. Tu as oublié le reste de ton texte ?

Jessica a levé la tête très lentement et j'ai vu qu'elle pleurait. M. Stolmatsky était très étonné, il n'a rien dit d'autre, et j'ai compris qu'elle n'avait rien oublié.

Au bout de quelques secondes, M. Stolmatsky a dit :

— C'était excellent mon chou, tu nous as vraiment fait aimer Dorothy.

Jessica l'a regardé pendant longtemps.

— Fermez-la, monsieur Stolmatsky, qu'elle lui a dit.

(C'est ma manman qui m'a appris Je n'ai pas l'ombre d'une idée. Elle dit toujours ça quand je lui pose des devinettes de mon hebdomadaire préféré. Celle que j'aime le plus c'est : « Pourquoi le crétin jette-t-il une pendule par la fenêtre ? »)

7

Il voulait voir s'envoler les minutes.

Je n'ai pas écrit ça.

Ça fait une semaine maintenant que je suis à la Résidence Home d'Enfants les Pâquerettes. Je déteste cet endroit. Je voudrais le tuer. Ce que je déteste pire que tout c'est le petit déjeuner. C'est dans une grande salle bruyante avec des longues tables où nous mangeons avec d'autres jeunes qui sont dégoûtants à regarder.

Mme Cochrane et les enfants de mon aile s'asseyent à une table. Il y a Phil et Robert et Manny et Howie. Robert n'a que sept ans. Howie neuf et les autres huit ans comme moi. Robert pleure tout le temps ce qui me tape sur les nerfs, pour ne rien vous cacher, et il fait pipi au lit la nuit et ça sent tout à fait âcre. Il dort de l'autre côté de la pièce, en face de moi. A côté de moi, c'est Howie, le garçon avec les cicatrices. Phil ne parle jamais, il reste coi et sourit tout le temps et je sais pas pourquoi, peut-être qu'il est content content ou alors peut-être que sa figure s'est bloquée comme ça. (Ma manman quand je fais des grimaces elle dit, attention, si y a un courant d'air ma figure se bloquera et je resterai comme ça pour toujours et moi je dis chouette comme ça j'aurai plus à me fatiguer à faire des grimaces, ma figure les fera toute seule pour moi.) Manny a mon âge et aussi il est juif comme moi, il a les cheveux noirs et tout bouclés et de drôles d'expressions.

Au petit déjeuner d'aujourd'hui j'ai fait un hippopotame avec ma bouillie de céréales qui était toute desséchée. Je lui ai fait un lit avec une tranche de pain grillé et avec ma serviette je lui ai fait une couverture. Ensuite avec ma cuiller je l'ai battu à mort. Je lui ai fendu la tête d'un grand coup et puis je l'ai coupé en deux et je l'ai écrabouillé sur mon assiette. Mme Cochrane s'est fâchée et m'a demandé pourquoi j'avais fait ça. J'ai dit pasque c'était un méchant hippopotame qu'avait tué Jessica. Il l'avait traînée dans la rivière et l'avait tuée. Robert a dit :

— Quelle rivière ?

Je lui ai versé mon jus d'orange sur la tête en disant :

— Cette rivière-là.

Et on m'a emmené dans le cabinet du Dr Nevele sur-le-champ.

Il avait encore son manteau ce qui m'a surpris pasque je croyais qu'il habitait à la Résidence Home d'Enfants les Pâquerettes mais non. Je pense qu'il doit habiter un centre commercial.

— Bonjour mon petit monsieur, il m'a dit avec un sourire, si vous voulez vous donner la peine de pénétrer dans mon antre, je suis à vous tout de suite.

Mais alors là, non. Pas avec ce qu'il avait dit. Jamais de la vie ! J'ai essayé de partir en courant mais Mme Cochrane m'a rattrapé.

— Qu'est-ce que c'est encore que cette histoire ? qu'il a fait le Dr Nevele.

Mme Cochrane lui a dit pour le petit déjeuner.

— Non, j'ai dit moi, c'est pas ça.

— Mais qu'est-ce que c'est alors ?

— Vous le savez bien !

— Du diable si je le sais ! a dit le Dr Nevele. Je n'en ai pas la moindre idée. Allez, entre !

— Non, non, je veux pas aller dans votre antre ! que j'ai crié.

— Gilbert !

— Oh non ! Je serai sage, c'est juré, je serai sage toujours, je promets. Me tuez pas ! Me tuez pas, docteur Nevele !

Et je hurlais et je donnais des coups de pieds et je mordais. Fallait que je me sauve, absolument.

— Madame Cochrane, emmenez-le en Salle de Repos et qu'il y reste tant qu'il ne sera pas calmé.

J'y ai couru. Tout seul. Pasque le Dr Nevele avait dit mon antre. Pasque que quand j'avais cinq ans j'ai vu un film qui m'a donné des cauchemars que même je les ai encore. C'était un film avec une espèce de cave où on vous torture, y a une grosse chose qui vous descend sur le ventre et qui vous écrase jusqu'à ce que vos intérieurs sortent par des trous comme des spaghettis, et vous saignez à mort et y a un homme affreux avec un capuchon et un masque tout noirs et c'est un docteur comme le Dr Nevele. Ça s'appelait *l'Antre du docteur noir*.

Il y avait quelqu'un dans la Salle de Repos. Mince de surprise. C'était l'homme aux cheveux roux de la Salle de Jeux. C'est une sorte de docteur lui aussi. J'ai voulu repartir.

— Non, il m'a dit, non, non, ne pars pas, je m'en

allais justement. Si tu veux bien prendre le relais, grand garçon.

Il avait une cravate cette fois, comme s'il était habillé pour sortir. Je suis resté dans la Salle de Repos mais lui n'est pas parti. Il est resté assis là sans rien dire.

— Je m'en vais, il disait, d'un instant à l'autre je m'en vais.

Et puis il a fait quelque chose de bizarre. Il a levé les mains devant ses yeux et il a bougé ses doigts et puis il faisait *Mmmm* avec sa bouche comme s'il fredonnait mais c'était seulement un bruit pas de la musique.

— Tu devrais pas t'asseoir par terre avec tes habits du dimanche, je lui ai dit. Tu vas être puni.

Il a levé le regard vers moi. Il avait les yeux verts avec des éclats marron dedans, comme Jessica.

— Comme c'est vrai, il m'a dit. Et pourtant, comme c'est loin.

Et puis il s'est levé et il est parti.

Alors moi je suis allé pour écrire ça sur le mur de la Salle de Repos et j'ai vu que quelqu'un avait écrit

Il voulait voir s'envoler les minutes.

Et ce n'était pas moi.

Alors je l'ai suivi pasqu'il aurait pas dû écrire sur mon mur. Il est allé à la Salle de Jeux. La porte était ouverte. Je l'ai regardé par la petite fenêtre, il était là avec le petit nègre de couleur que j'avais déjà vu, celui qui est dingue. Le roux était à quatre pattes par terre avec lui et le petit garçon pleurait sans arrêt, pleurait, pleurait. Et puis le roux m'a vu. Il s'est levé et il m'a dit d'entrer. Je suis entré.

— Je te présente Carl, il m'a dit. Il mord.

Et puis il est sorti en refermant la porte derrière lui et je me suis retrouvé tout seul avec Carl. Qui mord.

Il s'est levé et d'un seul coup il s'est mis à courir aussi vite qu'il pouvait tout autour de la Salle de Jeux et puis il s'est flanqué contre la porte, il a rebondi en arrière et il est reparti sans pleurer ni rien du tout. Et puis il s'est assis. Et puis il s'est levé. Et puis il a fait un cercle et il a marché sur quelques jouets et il s'est rassis. Je lui disais rien. Je crois qu'il savait même pas que j'étais là. Il a ramassé un coussin et s'est mis à le bouffer. Ses yeux sont devenus tout drôles. Un qui regardait par ici l'autre par là. Il clignait des yeux et remuait très fort la tête. Il s'est mis à écraser les jouets dans le coffre à jouets.

— Tu devrais pas, je lui ai dit.

Mais tout ce qu'il a fait c'était de siffler. Et puis il s'est relevé et il est entré droit dans le mur et puis il s'est assis contre le mur et il a levé les mains devant les yeux et il s'est mis à gigoter les doigts. C'était la même chose comme faisait le roux dans la Salle de Repos.

Et puis Carl est tombé et il a roulé par terre et il s'est cogné très fort contre la jungle en plastique qui a failli lui dégringoler dessus mais finalement non, alors il s'est rassis avec le dos contre le mur et il s'est mis à se balancer et à cogner sa tête contre le mur. Je voyais un petit endroit chauve derrière sa tête d'à force de la cogner. D'un seul coup il s'est assis tout droit et il a posé les mains sur ses genoux et il s'est tenu comme un petit garçon bien élevé. Je lui ai dit :

— T'es assis bien comme il faut, Carl, comme un bon petit citoyen.

Il faisait *Mmmmm* avec sa bouche, rien que du

bruit pas de musique, comme avait fait le roux, et puis il s'est levé et il est allé près d'un petit chariot rouge qu'y a dans la Salle de Jeux et il est monté dedans et s'est rassis comme un bon petit citoyen.

— C'est pas fait pour ça, je lui ai dit. C'est pour transporter des choses dedans.

Mais il est resté. Il était tout raide comme une statue dans le petit chariot rouge. (Y a « Petit Chariot Rouge » d'écrit dessus, sur le côté.) J'ai ramassé un petit coussin et je lui ai lancé mais il a pas bougé et il l'a pris en pleine figure.

— C'est fait pour que tu le rattrapes et que tu me le lances, je lui ai dit. Tu ferais mieux de sortir de là avant que le roux revienne sinon y va te punir.

Et puis la porte s'est ouverte et un employé est entré. Il a pris la main de Carl et a essayé de le faire sortir du petit chariot rouge mais y voulait rien savoir.

— Allez, fais pas le méchant, a dit l'employé qui était grand et tout poilu.

Carl lui a mordu la main. J'ai vu que ça se mettait à saigner et l'employé a hurlé : « Espèce de petit salopard ! » et puis il a pris Carl par les épaules pour qui puisse plus bouger et il lui a tordu les bras. Carl y gueulait, y balançait des coups de pieds et même des coups de dents dans le vide, et l'employé avait bien du mal à le tenir. Il l'a lâché.

— Je reviens tout de suite, il a dit.

Carl s'est arrêté. Il s'est arrêté net, comme dans un dessin animé. Et puis il a fait un bruit.

— Pouche.

Je suis allé près de lui. Il m'a fait une espèce de regard comme ça, et j'ai tendu ma main et y m'a même pas mordu. Je l'ai touché. Il a dit encore

« pouche ». Et puis il a pris mes mains et il a tiré mais je m'ai écarté. Alors il a hurlé vraiment pointu comme une sirène et moi je m'ai mis vraiment en rogne et j'ai crié :

— Ferme-la, Carl, tu sais bien qu'y vont revenir avec des ceintures de contention et qu'y vont te punir et te flanquer des baffes en pleine poire et te faire voir qui commande ici et pour ton bien ! Oh bon sang de bon Dieu, je te comprends vraiment pas !

Et je m'ai mis à pleurer aussi et je sais même pas pourquoi, pasque c'était Carl. Y m'a pris la main et y l'a posée sur le petit chariot rouge.

— Pouche.

L'employé est revenu au bout de quelques minutes avec un autre, seulement Carl était plus dans le petit chariot rouge. Il était assis tout à fait comme un bon petit citoyen sur une petite chaise près de la fenêtre de la Salle de Jeux.

Ils m'ont regardé. J'ai dit :

— Tout ce qu'y voulait c'était qu'on le pousse.

Ils ont emmené Carl et je suis retourné dans la Salle de Repos. Je pensais à l'homme aux cheveux roux qui faisait bouger ses doigts devant ses yeux et fredonnait du bruit comme Carl. C'était un docteur mais il faisait pas comme un docteur. Il faisait comme un petit garçon. Comme moi.

Rembrandt, Gilbert (suite)
12/10
Rudyard Walton, thérapeute dans notre institution depuis un an, manifeste beaucoup d'intérêt pour ce patient, bien qu'il soit en fait affecté au pavillon Sud-Ouest, dans lequel il travaille principalement avec des enfants autistiques ou mentalement retardés.

Walton, dont les résultats sont très appréciés dans son service, travaille semble-t-il selon un principe du type « guérisseur-malade », si j'ose dire. Il entre avec chaque malade dans une relation bilatérale et « prend sur lui » en assimilant les symptômes de ses patients, créant ainsi, j'imagine, une relation d'empathie avec eux.

Il n'en a pas moins pris la responsabilité d'intervenir unilatéralement dans le travail que j'ai entrepris avec Gilbert, et j'ai dû lui en parler. Il a nié avoir avec l'enfant la moindre relation thérapeuthique, il dit qu'il éprouve beaucoup de « sympahie » pour ce petit et apprécie sa compagnie. Je ne lui ai pas moins demandé de bien vouloir s'occuper exclusivement de ses propres patients du pavillon Sud-Ouest.

Les relations que Walton établirait avec ce patient seraient forcément nuisibles à la bonne évolution de mon traitement. A l'évidence, la technique de Walton, si technique il y a, a pour effet de renforcer dans un premier temps les comportements de l'enfant, laissant leur modification pour plus tard, dans un second temps, après l'établissement de forts liens relationnels. Or, il m'apparaît que les comportements de Gilbert Rembrandt ne doivent nullement être renforcés. Il s'agit en effet d'une attitude sociopathe et destructrice. Elle doit être strictement réprimée dans la moindre de ses manifestations, toute idée de tolérance doit être exclue, et la présence d'un autre thérapeute, que ce soit dans le rôle « d'ami » ou quelque autre, ne peut être tolérée.

Je crois d'ailleurs de mon devoir de signaler que M. Walton a cru pouvoir abandonner sans aucune surveillance un de ses propres patients, un enfant autiste au dernier degré, le petit Carl, en compagnie du seul Gilbert Rembrandt. Un aide-soignant a été gravement blessé par morsure du petit Carl à la suite de ce manquement caractérisé au règlement de notre institution. (Walton aurait prétendu par la suite avoir agi de propos délibéré et affirmé que les deux enfants en avaient retiré un certain profit. Quoi qu'il en soit, cette affaire sera examinée par le conseil de discipline la semaine prochaine.)

Walton a également laissé entendre qu'il jugeait que le cas Rembrandt ne relevait pas des soins prodigués dans notre institution. L'enfant n'a, selon lui, rien à faire ici. J'affirme toutefois quant à moi que l'enfant présente de véritables troubles du comportement et a même récemment manifesté des symptômes schizoïdes à tendance nettement paranoïaque, avec complexe de persécution et présence hallucinatoire d'assassins dans mon cabinet, une très évidente tentative de fuite devant la culpabilité à l'égard de la petite Jessica au moyen d'un transfert négatif.

Je me dois donc de réaffirmer mon diagnostic et mon pronostic : il s'agit d'un enfant très gravement affecté dans son comportement et dont le séjour ici sera probablement long.

C'était sur un papier. Je l'ai volé au Dr Nevele, sur son bureau, pendant que j'y étais.

8

Pendant que j'étais assis dans la Salle de Repos, Mme Cochrane est venue et elle m'a dit que je devais allez chez le dentiste le lendemain, que c'est les règles à la Résidence Home d'Enfants les Pâquerettes. Je lui ai attrapé le bras et je l'ai mordue comme Carl mais elle m'a flanqué une baffe en pleine poire alors je me suis mis à hurler de toutes mes forces aussi fort que j'ai pu : « Je vais tuer quelqu'un ! Je vais tuer quelqu'un ! »

Elle m'a laissé tout seul dans la Salle de Repos. Mais quand j'irai chez le dentiste je vais le tuer. Je déteste le dentiste. Chez nous je suis obligé d'y aller. Manman m'emmène.

La première chose déjà en entrant c'est l'odeur. J'ai tout de suite des haut-le-cœur et ça me fait peur. Quand on ouvre la deuxième porte à l'intérieur y a une sonnerie. Y a une fenêtre dans le mur qu'on peut pas voir à travers et derrière y a une infirmière qui la fait glisser pour l'ouvrir et qui demande mon nom. Et puis je m'assieds. Tout est coi sauf l'aquarium qui fait des bulles. De la musique sort du plafond. Sur les murs y a des photos d'enfants qui me plissent les yeux tout contents contents.

La porte s'ouvre et l'infirmière dit mon nom avec

un sourire de vingt mètres. Y faut que j'entre. Je vais dans le cabinet, y a de l'eau qui glougloute et elle me fait asseoir dans le fauteuil pour s'allonger et elle le renverse en arrière et me colle un bavoir et puis un truc derrière la nuque.

La fraise — ce nom-là c'est comme le sourire de l'infirmière — pend au-dessus de moi avec toutes ses roulettes, ses fils et ses tuyaux. Ça s'abaisse. Y a différentes pointes qu'il adapte au bout. Chacune est spécialement faite pour me faire du mal.

Et alors je reste assis là et rien ne se passe mais j'entends un enfant juste à côté qui hurle. Puis l'infirmière rentre et elle me dit : « Ouvre. » Elle parle tout doucement. Tout le monde chez le dentiste parle tout doucement et ça me file des trouilles terribles. Et elle me plante des couteaux dans les gencives et elle me racle les dents.

Et puis le Dr Stahl rentre très très vite, il est toujours très très pressé et fait semblant d'être content content mais je sais bien que c'est pas vrai pasque je lui ai envoyé un coup de pied dans les couilles une fois. C'était quand j'avais cinq ans. Mais maintenant je sais qu'il faut se conduire comme un petit garçon bien élevé et comme un bon citoyen chez le dentiste. Il a la roulette et moi j'ai rien. Le Dr Stahl regarde mes papiers puis il regarde dans ma bouche puis il regarde mes papiers puis il regarde dans ma bouche. Il a un miroir au bout d'un manche et il regarde dans ma bouche (des fois je fais semblant d'être lui avec une cuiller mais dedans on se voit à l'envers) et je lui demande si j'ai des caries mais tout ce qu'il dit c'est « Ouvre ».

Alors il sort tous ses instruments et il fait des bruits sur mes dents en disant : « Toc, toc, toc, qui est là ? »

Il essaie d'être drôle mais y a vraiment pas de quoi. Il dit : « Si je te fais mal, dis-le-moi », et puis je peux plus rien dire du tout pasqu'y m'enfonce son poing dans la bouche. Puis il prend un machin pointu et il me le plante dans la dent et il le tortille et je sens de l'électricité qui me traverse partout et je me tourne sur le fauteuil tellement ça fait mal. Alors il dit : « Et maintenant voyons l'étage en dessous. »

Il regarde mes papiers et il écrit des choses dessus. Je lui demande : « S'il vous plaît, j'ai des caries ? Va falloir me passer la fraise ? » Et le Dr Stahl : « Ouvre ».

Il visse une chose de métal sur ma bouche avec du coton dedans et il met l'espèce de suceur sous ma langue et ça aspire toute ma bouche et ma langue et il prend la fraise et il la met dans ma bouche et le bruit commence comme des avions à réaction qui décollent à l'intérieur de ma tête et il se met à faire très chaud et la tête me tourne et ça fait tellement mal que j'ai l'impression de m'enfoncer dans la terre et il est complètement penché au-dessus de moi et je vois sa figure de très près et il sourit plus du tout. J'ai mal, j'ai mal. J'essaye de lui dire d'arrêter rien qu'une seconde mais je peux pas pasqu'il est toujours en train de me passer à la fraise et si je bouge il va me couper la langue en deux. Tellement que j'ai mal je me mets presque debout et lui il me retient avec son coude. Et puis j'entends une sirène dans ma tête, celle d'une ambulance qui vient me chercher. La fraise traverse ma bouche et s'enfonça dans ma tête et mon sang à l'intérieur de moi me fait mal. Personne ne viendra à mon secours. Personne ne viendra à mon secours. Personne.

Quand je sors du cabinet ma manman me dit : « Eh

bien, tu vois bien que ça n'était pas si terrible, hein ? »

Et, hier soir, à la Résidence Home d'Enfants les Pâquerettes, j'ai pensé au dentiste et je m'ai endormi en pleurant, pasque j'ai peur et manman est même pas là. Je veux rentrer chez nous.

Et ce matin à la place du petit déjeuner je suis allé à la Salle de Jeux et j'ai regardé par la fenêtre pasqu'y avait personne. Je regardais passer les voitures et je me demandais si y avait pas quelqu'un qui allait chez moi. Et puis j'ai entendu la porte de la Salle de Jeux qui s'ouvrait. Mais je m'ai pas retourné. Je voulais voir personne.

Y a pas eu un seul bruit pendant un moment et puis j'ai entendu chanter. C'était un homme. Il chantait : « Je suis seul, ce soir, avec mes peines, je suis seul ce soir... »

C'était très doux. Je regardais par la fenêtre. Je me retournais pas. Il a encore chanté. Il chantait bien.

(Je suis bon en musique à l'école. Le prochain semestre je serai dans la chorale. Mlle Allen a promis. Une fois on a eu une chanson, *Trois Petits Agneaux,* et Mlle Allen a choisi trois élèves pour la chanter en assemblée générale. Y avait Kenny Aptekar, Gary Faigin et moi. J'ai pu manquer deux classes de sciences naturelles grâce à ça. Et puis y a une autre chanson, *les Tailleurs de pierre,* y a un refrain qu'on fait exploser les rochers à la dynamite et y faut crier « feu ! » comme ça tout fort, crier, pas chanter. D'ailleurs c'est écrit en majuscules FEU ! ça veut dire qui faut crier. Mais tout le monde a peur pasque si on est le seul à crier, on a l'air idiot. Mais Mlle Allen elle est sympa. Un jour, en musique, quelques jours après l'assemblée générale avec le brigadier Williams, on chantait *Apporte-moi la paix, ô grand fleuve,* et y avait que moi qu'arrivais à chanter la deuxième voix. Alors Mlle Allen elle m'a fait lever et chanter tout seul. Harold Lund s'est moqué de moi et m'a dit que j'étais une chochotte et j'ai eu honte. Et puis quelqu'un est entré dans la classe. Et c'était Jessica. Elle apportait un mot de Mlle Verdon, la prof de dessin. Mlle Allen m'a dit de continuer à chanter pendant qu'elle lisait le mot. Alors j'ai fait quelque chose. Je m'ai mis à chanter *Heartbreak Hotel,* c'est super, mon vieux. C'est Elvis, je peux l'imiter à la per-fec-tion. J'ai chanté de plus en plus fort, de plus en plus fort et j'ai fermé les yeux. Quand je les ai rouverts, Jessica me regardait même pas et je m'ai arrêté. Mais quand elle est partie elle m'a regardé et elle m'a fait une sorte de sourire.)

Je me rappelais tout ça en regardant par la fenêtre de la Salle de Jeux et puis la personne qui chantait a dit quelque chose :

— Puis-je vous offrir un Globo ?

C'était le roux. Je lui ai pas dit de réponse.

Il a rechanté : « Je suis seul ce soir... »

Les voitures passaient devant la fenêtre et soudain j'ai cru voir la nôtre et j'ai cogné au carreau mais je m'étais trompé.

« Je suis seul ce soir... »

Je l'ai regardé s'éloigner et j'ai pensé : Peut-être que c'est notre voiture mais que mes parents veulent plus de moi à cause de ce que j'ai fait à Jessica.

— J'ai dit : puis-je vous offrir un Globo ? répéta l'homme aux cheveux roux.

— Non, j'ai dit.

Et alors je l'ai plus entendu chanter. Mais j'ai pas

regardé. Seulement je l'ai entendu faire péter une balle de Globo et dire merde.

— Faut pas dire des gros mots, j'ai dit. C'est pas bien élevé.

— Bah, faut pas mâcher de Globo non plus, il a dit. Seulement j'aurais jamais de caries si j'en mâche pas, hein ?

— Ça donne des caries.

— C'est bien ce que je dis.

Je m'ai retourné. Il était assis dans une chaise de petit gosse.

— Mais faut pas avoir de caries, j'ai dit.

— Ah oui, pourquoi ça ?

— Faut pas, c'est tout.

Je m'ai mis vraiment en rogne et je m'ai retourné vers la fenêtre. Et l'homme a dit :

— Je sais, je sais.

Je m'ai assis dans la petite chaise orange près de la fenêtre, et j'ai balancé des sortes de coups de pied dans le tapis qui donne des fois comme des secousses électriques.

— J'aime avoir des caries, a dit l'homme roux. Je veux des plombages dans toutes mes dents avant qu'il soit trop tard. Mon dentiste en a plus pour très longtemps. Il va pas tarder à se suicider.

— Pourquoi ?

— Pourquoi quoi ?

— Pourquoi y va se suicider ?

— Bah, a fait l'homme roux en faisant éclater une nouvelle bulle de chouimegomme, pasqu'il est dentiste. T'en ferais pas autant, toi ?

— Comment ça ?

— Bah, tout le monde déteste les dentistes, non ? Même les fils de dentistes. Le fils de ce type-là le déteste mais c'est pour une autre raison. Tu vois, quand il était petit, le dentiste a décidé de faire semblant qu'il n'était pas dentiste, pour que son fils le déteste pas. Il a dit à son fils qu'il était joueur professionnel de baseball. Il s'est fait faire une tenue de l'équipe des Tigres et tous les jours il la mettait pour partir et pour rentrer chez lui, seulement avant de rentrer il s'arrêtait pour salir sa tenue. Il faisait écrire des faux articles de journal sur lui, avec son nom, et il les mettait dans les pages sportives des journaux. Mais quand le gosse a commencé l'école, personne avait jamais entendu parler de son papa, alors le dentiste a fait imprimer plein de fausses images de baseball avec sa photo et son nom pour les faire mettre dans les Globo dans les boutiques autour de l'école de son fils.

« Pour finir, il est devenu l'ami de Ozzie Virgil, qui joue troisième base dans l'équipe des Tigres, il l'invitait à dîner au restaurant avec sa femme, il soignait les dents de son fils gratuitement. Et Ozzie accepta de rentrer dans son jeu. Et quand le gamin eut huit ans, le dentiste se décida à l'emmener voir un match. Le petit était tout excité. Malheureusement pour eux, ils arrivèrent trop tôt aux vestiaires et Ozzie Virgil n'était pas encore arrivé. Ils se sont donc fait refouler. En repartant, ils tombent sur Ozzie qui arrivait et qui dit aussitôt : " Salut Stan ! Content de te voir, figure-toi que Joey vient de perdre un plombage, est-ce que Gladys pourrait te l'amener cet après-midi ? "

« Il y a cinq ans de ça. Le fils du dentiste lui a plus adressé la parole depuis. Il ne va pas tarder à se tuer, c'est une question de jours, peut-être.

J'ai traversé la Salle de Jeux jusqu'au coffre à

jouets. Y avait une poupée dedans, une fille qui avait des cheveux bruns avec des rubans dedans comme Jessica. Elle avait pas d'habits du tout et j'ai eu mal au ventre. Et aussi j'avais peur d'aller chez le dentiste.

— Y faut que j'y aille aujourd'hui, que j'ai dit à l'homme roux.

Il a fait oui avec la tête, les yeux fermés, comme s'il le savait déjà.

— Au fait, Gil, qu'il m'a fait, je m'appelle Rudyard.

Il avait une autre poupée dans le coffre, une blonde sans rubans dans les cheveux. Je l'ai lancée contre le mur et ses bras sont tombés. J'avais tellement mal au ventre que je pouvais à peine tenir debout. C'était comme si j'avais de la glace à l'intérieur de mon derrière, très haut dans mes intérieurs. Y fallait absolument que j'aille au cabinet.

Je m'ai mis à avoir des larmes dans les yeux. Je m'ai mordu la lèvre. J'ai regardé l'homme aux cheveux roux, j'ai regardé Rudyard et lui y m'a regardé comme ça avec ses yeux. Y s'est levé, il est venu vers moi en tirant un mouchoir de sa poche et il a essuyé mes yeux tout doucement.

— Qu'est-ce qu'il y a comme poussière, ici, qu'il a dit. Ça donne des allergies, ça irrite les yeux.

Alors je m'ai mis à pleurer et il a mis sa main sur ma tête.

— Rudyard, y faut que j'aille au cabinet, y a quelque chose qui va pas dans mon ventre. J'ai peur J'ai peur du dentiste.

Alors il a fait comme ça, là, avec sa main derrière ma tête et sur mon cou, y m'a un petit peu serré sur ma tête et y m'a pris contre lui et y sentait comme mon papa.

— Rudyard, y faut que j'aille au cabinet seulement j'y suis jamais allé ici et je sais pas où y en a un.

— Moi si, et c'est un cabinet très bien en plus.

Moi je pleurais.

— Rudyard, j'ai quelque chose qui va pas. Je suis différent que tous les autres.

Rudyard a un peu pressé ma tête, il a fait comme ça encore à mes cheveux et je m'ai serré contre lui.

— Moi aussi, Gil, allons-y.

Aujourd'hui j'ai eu une lettre. J'ai cru que c'était Jessica mais non.

Le 7 décembre

Cher Gil,

Je viens d'avoir le Dr Nevele au téléphone et il m'a dit qu'il faudrait encore attendre un peu avant de venir te voir aux Pâquerettes, alors j'ai décidé de m'asseoir pour t'écrire ce petit mot pendant que je pense à toi.

Comment vas-tu mon chéri ? Tu nous manques beaucoup à ton père et à moi (et à Jeffrey) et nous sommes tous impatients de te voir de retour à la maison. Nous savons que toi aussi tu es impatient et c'est pour cela que je t'écris cette petite lettre.

Le Dr Nevele a l'air d'un type vraiment formidable. Papa et moi nous le trouvons très sympathique, Gil, et nous pensons que ce serait vraiment dommage, avec tout le travail qu'il fait pour t'aider, il ne demande qu'à te rendre service, il faut que tu en fasses autant, ce n'est que justice, tu ne trouves pas ? Il sait un tas de choses sur les petits garçons et sur ce qui les fait faire ci ou ça, ce ne serait pas bien de lui faire perdre son temps. C'est ce que nous pensons et nous sommes persuadés que tu seras d'accord avec nous. Nous savons tous que tu regrettes sincèrement ce que tu as fait et que tu ne demandes qu'à réparer tes torts le plus vite possible et donc que tu vas décider d'aider le Dr Nevele a découvrir ce qui ne va pas en toi pour pouvoir te guérir vite vite et te renvoyer à la maison.

Comme ce sera merveilleux mon petit chéri, tu ne trouves pas ? Mais si bien sûr, et je sais que tu vas faire tout ce qui est en ton pouvoir pour que ça arrive très vite.

Mais tu sais, fiston, tu n'es pas le seul à avoir besoin de l'aide d'un médecin pour découvrir ce qui a bien pu te pousser à faire cette chose terrible à Jessica. Ton père et moi nous allons aussi voir un docteur. Quelqu'un que le Dr Nevele nous a recommandé pour que nous lui demandions s'il pense que nous avons peut-être commis une erreur, mal joué notre rôle de parents. Nous avons découvert que papa connaissait déjà ce médecin qui est membre de son club et donc nous allons tous déjeuner ensemble la semaine prochaine pour en parler. Je me réjouis à l'avance, je suis sûre que ce sera formidable !

La mère de Jessica est revenue nous voir l'autre soir. Elle va encore très mal. Nous l'avons invitée à rester dîner mais elle n'a pas voulu. Je crois qu'elle est encore très en colère de tout ce qui s'est passé. Jessica est sortie de l'hôpital maintenant. Elle a parlé de t'écrire une lettre mais sa mère lui a dit qu'elle ne pouvait pas ; alors, surtout, ne sois pas déçu si tu ne reçois rien. Nous sommes sûrs que tu comprendras, tu es un jeune homme tellement intelligent. Pour tout dire, ton père et moi nous pensons même que ce ne serait pas une très bonne idée que tu la revoies. Sa mère l'a inscrite dans une école privée pour le début du prochain trimestre et cela vaut sans doute mieux ainsi. Nous savons qu'un petit garçon aussi intelligent que toi n'aura aucun mal à comprendre tout ça.

Ah, au fait ! Kenneth est venu ce matin et il a apporté pour toi quelques photos de joueurs de baseball qu'il te devait a-t-il dit. A propos, tu as vu les Tigres ? Nous ne savons pas si vous regardez les matches à la télé aux Pâquerettes, mais ils commencent vraiment leur saison très fort ! La semaine dernière, papa a emmené Jeff au match et ils se sont amusés comme des fous ! Ils se sont tellement amusés qu'ils se sont promis d'y retourner la semaine prochaine, et, cette fois, oncle Paul leur prêtera sa loge, tu te rends compte ! Dommage que tu ne puisses y aller avec eux. Mais ce n'est que partie remise !

Le Dr Nevele dit que ce ne serait pas une très bonne idée de t'envoyer les photos que Kenneth a apportées, alors je te les mets de côté pour quand tu rentreras. De toute manière tu n'aurais pu les échanger avec personne, aux Pâquerettes. Tu les trouveras donc ici en rentrant. Et peut-être d'autres petites choses. Tu te souviens de ce dinosaure dont tu avais envie, chez Maxwell ? Papa et moi nous sommes d'accord pour te l'offrir ! Alors, si tu es gentil et que tu décides d'aider le Dr Nevele, lui aussi t'attendra à la maison pour fêter ton retour !

Voilà, c'est à peu près tout ce que je vois comme nouvelles à te donner. S'il te plaît pense bien à aider le Dr Nevele pour pouvoir venir retrouver tous tes jouets à la maison. Comme nous serons tous heureux ce jour-là ! tu te rends compte ?

Baisers affectueux

de Maman et Papa.

9

Pour la rentrée, ma nouvelle maîtresse principale c'était Mlle Iris. Elle est gentille comme maîtresse, elle est jeune et elle porte plein de maquillage. Elle est blonde. Elle a du vernis à ongles et des tas de jolis habits comme à la télé. Elle se parfume ce qui est divin. Et puis aussi elle est sympa, mon vieux, pas vache et elle gueule jamais. Une fois elle nous a dit : « Je vous laisse vraiment me manger la soupe sur la tête », mais j'ai jamais mangé sur Mlle Iris.

(L'année d'avant, j'avais Kolshar qui est vache. Une fois Andy Debbs avait ses doigts dans son nez après la sonnerie et Kolshar l'a vu. Qu'est-ce qu'elle lui a mis ! « Espèce de petit dégoûtant ! Tu ne te rends donc pas compte que c'est l'habitude la plus répugnante ? » Mais Andy a rien répondu pasqu'il est timide et elle a encore gueulé : « Va aux lavabos et lave-toi les mains ! » Andy s'était appuyé sur son pupitre et elle lui a dit qu'il faudrait qu'il le lave aussi. « Qui t'a appris à te tenir aussi mal, hein ? » qu'elle a gueulé, et Andy Debbs il lui a répondu : « Personne, j'ai appris tout seul ! » Andy Debbs, il est de l'orphelinat. La mère Kolshar est vache avec ceux de l'orphelinat pasqu'y sont pauvres, mais moi je trouve que c'est elle la plus répugnante habitude.)

Mais Mlle Iris, elle, elle est gentille avec tout le monde. Seulement une fois, il est arrivé quelque chose. J'arrive à la maison et Mlle Iris était dans notre cuisine en train de déjeuner avec manman. Manman m'a dit : « Après la réunion des parents d'élèves, j'ai invité Dolores, tu veux manger avec nous ? » J'ai couru dans ma chambre et j'ai claqué la porte. J'aime pas voir les maîtresses en dehors de l'école, c'est pas bien. Mlle Iris était en pantalon.

Mais le troisième jour après la rentrée, Mlle Iris nous a annoncé que le lendemain y aurait sortie au zoo. Elle a distribué des petits papiers ronéotypés à faire signer des parents. J'ai reniflé le mien pendant une heure. Elle a dit qu'on ferait un pique-nique mais que chacun devait apporter son déjeuner.

Le lendemain je me suis réveillé tôt, tout seul. Je m'ai préparé tout seul mon petit déjeuner, du ketchup et une barre de Mars. Shrubs est passé me prendre, il a sonné à la porte et réveillé tout le monde. Toutes les classes de troisième année allaient ensemble au zoo. La classe de Mlle Hellman, celle de Mlle Craig et la mienne. On avait un autocar pour nous. Mlle Iris a compté tout le monde et puis elle est venue près de moi et elle m'a dit :

— Je peux m'asseoir à côté de toi, Gil ?

J'ai dit non mais elle l'a fait quand même, alors. Et puis, on s'est mis en route.

Ronéotypé. R-O-N-É-O-T-Y-P-É. Ronéotypé.

Au zoo, chacun devait avoir un p'tit copain qui était celui ou celle à côté desquels on était assis dans le car. Alors moi c'était Mlle Iris mon p'tit copain. J'ai dit :

— Je peux pas avoir Shrubs ?

Et elle a répondu :

— Mais dis donc, Gil, tu vas finir par me vexer.

Le zoo c'est des arbres et des barrières et des haies et des trucs en ciment qui ont les animaux dedans et des buvettes. Y a une piste à suivre qu'est faite de grosses traces d'éléphant jaunes. J'ai demandé à Mlle Iris si c'était des vraies et elle m'a répondu que oui bien sûr. On les a suivies. Elles conduisaient au Train du Zoo. J'ai dit : « Est-ce que le train est si petit pasque l'éléphant l'a écrasé ? » et Mlle Iris a dit : « Oh, Gil, comme tu es mignon ! » Et puis elle a mis la clé en forme d'éléphant dans le livre sonore qui vous dit des choses sur les animaux et Shrubs a dit : « Je vais pousser le bouton Chien de Chasse » mais le train est arrivé.

Il est comme celui du Jardin d'acclimatation mais y fait plus vrai tout de même. Mlle Iris m'a demandé si je la protégerais de tous les animaux sauvages et j'ai dit non.

Le train faisait tout le tour du zoo. Mlle Craig nous disait de faire bonjour bonjour avec la main aux animaux et Marty Polaski a dit qu'il leur enverrait plutôt une carte postale. Des fois le train prenait un tournant et Mlle Iris glissait contre moi et je me sentais drôle. Elle avait son parfum. Et puis tout d'un coup Marty Polaski s'est mis à gueuler : « Y a un gorille qui me met en pièces, y a un gorille qui me met en pièces ! » Tout le monde s'est retourné et il a montré du doigt Marilyn Kane en criant : « Le voilà, le gorille, le voilà ! » Elle était assise à côté de Jessica.

Après le train on est allé voir les chimpanzés. Y mettaient le doigt dans leur nez, comme Andy Debbs, et Shrubs s'est mis à chanter

Tout le monde se cure le nez
Cure le nez, cure le nez,
Tout le monde se suce les doigts
Suce les doigts, suce les doigts

mais Mlle Hellman l'a fait arrêter. Elle aime pas la musique.

On est allé aux serpents qui sortent la langue et j'ai eu les trouilles, et on est allé aux pingouins qui sont en habit et on est allé aux antilopes. Et puis c'était l'heure du déjeuner. J'avais un sandwich au thon et à la salade, qui était devenu chaud et tout mou comme je les aime et une pomme et une barre de Twinkie. Ma manman avait laissé tout ça dans le frigo pour moi. (Le sac en papier était fermé par un trombone, elle devait être à court d'agrafes.) On s'est remis par classe dans la zone des pique-niques. Mlle Iris avait un truc de limonade qu'elle avait faite elle-même. Mlle Hellman avait une boîte de pop corn qu'elle avait fait porter par le conducteur du car.

J'aime manger tout seul pour pouvoir faire semblant. Au zoo j'ai fait semblant que j'étais en haut d'un arbre en train de manger mon déjeuner que j'avais tué avec un poignard et qu'en bas y avait les hommes qui étaient l'ennemi pasqu'ils ne sont pas de bons petits citoyens de la jungle. Et puis quelque chose arrivait : un des hommes me voyait et s'avançait jusqu'à mon arbre. C'était un chasseur blanc.

— Tu veux ça ? qu'il a dit le chasseur.

Il me tendait une bouteille de soda orange Nesbitt et je la lui ai fait tomber de la main et il s'en est mis plein sa jolie robe verte pasque c'était Jessica.

Elle a regardé par terre. Le soda coulait de ses doigts, elle avait encore le bras tendu.

— Je m'étais dit que tu préférerais peut-être ça à la limonade.

Et moi j'ai répondu :

— Oumga-oua !

Alors Marty Polaski s'est mis à hurler :

— Gilbert a une fiancée, Gilbert a une fiancée-heu !

— Tu ferais mieux de te taire, que je lui ai dit.

— Essaye un peu de me faire taire, qu'il a dit.

— J'aurais peur de me salir les mains.

— Les mains, les mains, tu veux dire les pattes.

Alors je lui en ai balancé un. Je visais son ventre mais j'ai touché sa figure par accident et il est tombé par terre. Et puis il m'a donné un coup de pied dans le zizi et je pouvais plus tenir debout. Tout tournait sans arrêt autour de moi. Alors je lui ai roulé dessous et quand il était sur moi je lui ai balancé encore un coup de poing et il s'est relevé mais je lui ai couru après, je l'ai rattrapé et je l'ai jeté encore par terre. Mais il m'a donné un autre coup de pied dans le zizi et j'ai plus vu clair. Il était de nouveau sur moi.

Et puis sans que je comprenne comment, il a disparu et je m'ai retrouvé allongé dans l'herbe et Mlle Iris était penchée sur moi. Je sentais son parfum. Elle arrêtait pas de me demander si je me sentais bien. Je m'ai relevé. Il fallait que je m'appuie sur quelqu'un. Il était là où il fallait, quand il fallait, Shrubs.

Et puis j'ai vu plein d'élèves rassemblés près de la fontaine. Ils regardaient Marty Polaski qui était dans l'herbe avec une coupure à la tête. Shrubs m'a dit que Jessica Renton l'avait frappé avec la bouteille de Nesbitt quand il était sur moi. J'ai vu que Mlle Hellman tenait Jessica très serrée et l'engueulait. L'eau de la fontaine coulait par la tête d'un lion. Il dégobillait.

Je suis retourné m'asseoir à la table du pique-nique et Mlle Iris est venue s'asseoir près de moi. Elle a fait comme ça, comme une caresse à mes cheveux et elle m'a dit :

— Ça va mon petit chou ? Je peux faire quelque chose pour toi ?

— Oh oui, j'ai dit, m'appelez pas petit chou, d'ac ?

Très vite ça a été le moment de retourner voir les animaux. Tout le monde a changé de p'tit copain. J'ai eu Shrubs. Il boitait. Je lui ai demandé :

— Pourquoi tu boites ?

Et il a répondu :

— Un lion m'a mangé le genou.

On a dû aller voir les oiseaux. Je les déteste pasque c'est pas des vrais animaux sauvages et qu'y sentent. Quand on est arrivé là, Shrubs et moi on n'est pas entré, on a attendu dehors en faisant un plan pour tendre une embuscade à Marty Polaski que quand il sortirait on lui jetterait ma chemise dessus et on lui casserait la gueule. Et puis Shrubs a dit qu'y voulait pas pasqu'y voulait aller voir les élans. Il a dit que c'était pasqu'il y en avait un qu'il connaissait.

Y a des fois où Shrubs est crétin, moi personnellement je trouve. Une fois je lui ai appris le mot idiot et il est resté sur son perron et il disait idiot à tous les gens qui passaient devant chez lui.

Tout le monde est sorti de l'oisellerie. La première à sortir était Mlle Iris. Elle a dit :

— Au nom du ciel, Gil, pourquoi as-tu retiré ta chemise. Tu veux attraper une bonne pneumonie en plus de tout le reste ?

J'ai dit oui.

Et puis Jessica est sortie et elle m'a vu et elle est venue vers moi et alors j'ai eu honte pasqu'on voyait très bien la sécatrice sur mon ventre.

— Ce n'est pas grave que tu ne portes pas ta chemise, elle m'a dit Jessica. C'est les germes et les bactéries qui donnent des maladies, pas les courants d'air. Je te le dis.

— Comment tu le sais, j'ai répondu.

— Je l'ai lu dans un magazine.

— Menteuse, t'es trop jeune !

— Mais si. On les reçoit au courrier, chez moi. Mon papa est professeur de lycée et il me laisse lire tout ce que je veux.

— Mavon navœil, j'ai dit. (C'est du javanais. Ça veut dire mon œil. Mon œil ça veut dire que je la croyais toujours pas.)

Et puis j'ai vu Shrubs qui demandait au monsieur du zoo où étaient les élans. Et ensuite on est tous allé voir les porcs-épics. Ils dormaient tous dans un trou, on voyait presque rien. Je m'ai rappelé un Popeye oùsqu'il était piqué par un porc-épic et puis après y buvait et l'eau lui giclait de partout comme par les trous d'une passoire — la crise ! Jessica s'est appuyée contre la chaîne des porcs-épics. Elle était en colère.

— Tu n'avais pas besoin de faire tomber cette bouteille, elle m'a dit. Tu aurais pu dire : « Non merci, je n'en ai pas envie. » Ça a taché ma robe.

— Je disais que j'étais Tarzan, que je lui ai répondu.

— T'es fou, elle m'a dit, et puis elle est partie voir les lamas.

Dans le même machin que les lamas y avait un gros oiseau. C'était un oiseau d'Australie, un koukaberra.

Jessica le regardait, alors j'ai chanté une chanson que j'avais apprise en musique :

Koukaberra perché
Dans le vieux caoutchouc
Roi de la brousse
Roi de la brousse
Ris Koukaberra
Ris grand roi
Chante ta joie.

Jessica m'a regardé une minute, elle écoutait ma chanson, et puis elle a secoué la tête.

— Ça ne coûte rien d'être gentil, elle a dit. C'est mon papa qui l'a dit.

— Et alors ?

— Et alors quoi ?

— Et alors ?

— Et alors quoi ?

Tous les lamas dormaient mais comme y z'étaient pas dans des trous, on pouvait les voir.

— Parfois je ne lis pas les magazines, elle a dit, Jessica. Parfois je regarde seulement les images. J'aime regarder les vêtements. Ils sont très élégants.

— Je ne regarde jamais les vêtements, j'ai dit, moi. Jamais.

— Tu regardes les vêtements de Mlle Iris.

— Pas du tout.

— Bien sûr que si. Elle s'assied à côté de toi tout le temps et tu regardes ses vêtements et quand elle croise les jambes tu regardes ses chaussures. Je t'ai vu dans le car.

Alors on a regardé les lamas tous les deux. C'est des drôles de bêtes moi personnellement je trouve.

— Regarde, en voilà un joli, a dit Jessica. Il est tout noir avec des chaussettes blanches comme mon cheval.

— T'as pas de cheval.

— Si j'en ai.

— Ah oui, où ça ?

— Si on te le demande...

J'ai regardé le lama. Il crachait par terre.

— Tu sais, Jessica, une fois j'ai eu un cheval et je lui ai dit de marcher sur la tête à Mlle Filmer et alors le sang lui est sorti par les yeux et on l'a emmenée au four et on l'a brûlée et pendant ce temps-là moi je suis parti sur mon cheval.

— J'parie qu'elle devait sentir la merde, elle a dit Jessica.

Et alors je m'ai mis en rogne.

— Faut pas dire merde, je lui ait dit, c'est des gros mots.

Mais Jessica est partie en disant :

— Merde, merde, merde, merde...

Après on est allé voir les bisons. Y dormaient tous. Pas dans des trous.

— Je dis des gros mots si je veux, on vit en république, Gilbert, m'a dit Jessica.

— Je m'appelle pas Gilbert, j'ai dit, je m'appelle Gulp ! (Je sais pas pourquoi j'ai dit ça.)

Et puis on est allé aux alligators qui sont mes bêtes favorites depuis que j'ai failli en avoir un à Miami en Floride quand on y était pasque là y les vendent dans des boîtes en carton. Des bébés. Au zoo y z'étaient sur une île entourée d'une fosse et puis y avait un peu d'herbe et une chaîne. Pas de cage. Je les ai regardés. (J'ai un alligator à la maison, il s'appelle Allie. Il est mort, je l'ai eu à l'aréodrome. Il est empaillé.) Y souriaient tous. Alors j'ai sauté par-dessus la chaîne et j'ai marché sur l'herbe pour aller me pencher par-dessus la fosse et j'ai dit :

— Salut, les alligators!

Y en avait cinq. Y dormaient tous et y en avait un qui avait la bouche grande ouverte sans bouger. Et puis j'ai entendu toutes les classes hurler. Je m'ai retourné et j'ai vu Mlle Iris qui courait dans tous les sens. Et Shrubs lui a dit :

— Tout va bien, mademoiselle, je crois qu'y les connaît.

Mais Mlle Iris s'est mise à gueuler :

— Reviens ici tout de suite, Gilbert, tu m'entends, sinon tu vas avoir affaire à moi!

— Il ne s'appelle pas Gilbert, il s'appelle Gulp!

J'ai entendu quelqu'un dire ça dans mon dos et je m'ai tourné de nouveau; c'était Jessica qui était près de moi.

— Tu ferais mieux de sortir tout de suite, je lui ai dit. Y vont te tuer et te bouffer, Jessica, c'est pas tes amis.

— Je vais me présenter, qu'elle a dit.

Le vent soulevait un tout petit peu sa robe et on voyait ses chaussettes qui montaient aux genoux. Et un des alligators a fait comme un coup de fouet avec sa queue.

— Je m'appelle Jessica Renton, elle lui a dit.

— Y comprennent pas, j'ai dit moi.

— Ça doit être des alligators espagnols. Une fois j'ai vu un dessin animé où Popeye donnait un coup de poing à un alligator et il l'envoyait en l'air et quand il retombait c'était des sacs et des valises.

— Et alors?

— Alors rien, elle a dit.

Et elle s'est mise à marcher vers les alligators. Je l'ai attrapée par le bras.

— Viens, on s'en va.

Les élèves criaient encore plus fort. Mlle Iris se mordait la main et elle faisait des signes à un monsieur du zoo.

— Jessica, j'ai dit.

— Je m'appelle pas Jessica.

— Comment tu t'appelles ?

— Contessa. C'est mon papa qui m'appelle comme ça. Mais toi tu ne peux pas.

Elle s'est encore approchée des alligators et y en a un qui a commencé à se retourner

— *Buenas dias, cocodrillo,* a dit Jessica.

Et puis tout d'un coup quelqu'un nous a attrapés. C'était le monsieur du zoo. Mais Jessica a tiré sur son bras et s'est mise à courir à toute vitesse et, pendant qu'il la regardait, je m'ai échappé aussi et je m'ai mis à courir. On a ressauté la chaîne et on s'est enfui. On est passé en courant devant les léopards. (Une fois j'ai vu Popeye passer un léopard au détachant.) On est passé en courant devant les ours qui faisaient le beau comme des chiens. On est passé en courant devant les phoques. (Y jouent à la balle à la télé en faisant *oumf, oumf!* c'est la barbe.) On est passé en courant devant les girafes et on a encore couru jusqu'aux éléphants. Jessica m'a battu. Elle court vachement vite, mon vieux ! Elle était même pas essoufflée.

Et puis tout d'un coup tous les élèves de troisième année sont venus vers nous en courant, c'était une vraie cavalcade de bisons, et ils criaient tous. Mlle Iris venait aussi, en courant, je n'ai jamais vu Mlle Iris courir avant cette fois-là et ça n'était pas normal à voir. Mlle Hellman et Mlle Craig venaient aussi.

Hellman m'a attrapé par le bras et a commencé à me secouer. Alors Jessica s'est retournée :

— Mademoiselle, mademoiselle, vous aviez dit qu'on aurait tous une glace en arrivant à la buvette ! C'est là, la buvette ! On peut avoir une glace ?

Tous les élèves se sont mis à chanter « On veut une glace-heu, on veut une glace-heu ! » et à tirer sur la manche de Mlle Hellman qu'a fini par me lâcher. « D'accord », qu'elle a fait.

Ils y sont tous allés. Y z'ont tous mangé une glace sauf Jessica et moi. Elle s'était appuyée à un écriteau pour regarder les éléphants. L'écriteau disait :

NE MANQUEZ PAS DE VENIR
VOUS TENIR LES CÔTES
DEVANT NOTRE SPECTACLE D'ÉLÉPHANTS
16 H et 17 H 30

Il faisait chaud. Je regardais les éléphants, ils faisaient de la poussière en marchant, ils étaient trois. Ils étaient tout gris, tout secs et tout craquelés. Ils remuaient doucement, d'avant en arrière, d'arrière en avant, d'avant en arrière. Puis y en a deux qui se sont mis à reculer et celui du milieu a tourné en cercle. Et puis y z'ont tous avancé et ensuite y z'ont tous reculé. C'était tellement lent on aurait dit que ça durait des semaines.

(J'allais lancer le cri et ils se seraient réveillés et ils m'auraient emporté dans la jungle, mais je l'ai pas fait.)

Derrière nous tous les élèves de troisième année étaient en train de bavarder en mangeant des glaces et en se faisant engueuler.

Jessica était près de moi.

— Regarde les éléphants, Gulp !, elle m'a dit.

— Je m'appelle pas vraiment Gulp !, j'ai répondu.

— Je sais, elle a dit.

Et on restait l'un près de l'autre. Les éléphants allaient d'avant en arrière, d'arrière en avant, d'avant en arrière. Et Jessica a dit :

— Regarde, Gil, ils font leur spectacle d'éléphants même en dormant. Ils dorment mais ils ne peuvent pas s'arrêter.

Mlle Iris ne s'est pas assise à côté de moi dans le car pour rentrer. Elle s'est assise à côté de Marty Polaski.

10

En rentrant de l'école après le zoo je me suis bagarré avec Harold Lund. C'est un grand affreux qui est copain avec Marty Polaski. Y m'a pris par surprise, ce qui est pas une manière régulière de se battre, mon vieux, y m'a sauté dessus et y m'a jeté par terre et y m'a coincé avec ses genoux sur mes épaules jusqu'à ce que Shrubs lui balance une poubelle sur la tête et là on a couru tous les deux jusque chez nous.

Dès que je suis arrivé à la maison, ma manman m'a dit : « Pas un mot ! » pasqu'elle a vu que mon pantalon était tout vert aux genoux d'avoir traîné dans l'herbe. (Un pantalon neuf, j'l'avais eu à West Clothing, oùsqu'il n'y a pas de porte aux salons d'essayage et qu'une petite fille a vu mon slip.)

— Non mais regarde-moi ça, a dit ma mère. Dans quel état tu es ! Avec qui t'es-tu battu cette fois-ci, hein ?

— Les Juifs, j'ai dit.

— Quoi ?

Je suis parti. Elle m'a couru après et m'a attrapé par le bras.

— Dis-moi la vérité s'il te plaît.

Alors je la lui ai dite. Je m'avais fait écraser par une voiture conduite par un rabin et il en était sorti et il avait dit que j'étais pas juif mais j'ai dit que si seulement y voulait pas me croire et on avait dû faire un bras de fer et je l'avais battu pasqu'il était faible et puis un nègre était venu qui avait dit que je pouvais être nègre si je préférais et j'avais dit d'ac et le rabin s'était mis en rogne et y m'avait poussé dans l'herbe et puis j'étais rentré à la maison.

Je suis monté dans ma chambre. Ma manman a crié :

— Reviens ici immédiatement et dis-moi la vérité !

Mais je l'ai pas fait.

Je m'ai assis sur mon lit et j'ai pris quelqu'un. Câlinou-Singe, il m'attendait. Il m'a dit qu'il avait regardé par la fenêtre et que c'était moi qu'avais battu Harold Lund, pas Shrubs. J'ai jeté mon pantalon dans le toboggan à linge sale, qui est dans la chambre à Jeffrey derrière la porte. C'est une petite porte et puis ça glisse jusque dans la cave pour le linge sale. J'aimerais pouvoir y glisser, mais je suis trop grand. Et même mon pantalon il est pas descendu. Il est resté coincé à mi-chemin, ça s'entend très bien. Alors j'ai dû y jeter un livre ce qui est la méthode pour débloquer le toboggan à linge sale. Je suis allé dans mon tiroir prendre *J'apprends l'orthographe : Livre I* que je garde dans ma commode pour étudier pour le concours d'orthographe.

Seulement il y était pas. Je l'avais perdu. (Je suis désordre. Je ramasse pas mes affaires derrière moi. Ma manman elle dit toujours : « J'en ai par-dessus la tête de passer ramasser tes affaires derrière toi. Un de ces jours je vais arrêter et tout va s'entasser et quand il n'y aura plus moyen d'entrer dans ta chambre, qu'est-ce que tu feras, hein ? » Et moi je réponds : « J'irai en Floride. ») Mais au lieu de *J'apprends l'orthographe : Livre I,* il y avait *la Petite Graine.* Ma manman l'avait laissé dans ma chambre après nous l'avoir lu. J'ai regardé dedans. Y avait beaucoup d'images. Y avait grand-mère et grand-père et un petit garçon et une petite fille et des cochons et des bébés cochons et des vaches et des bébés vaches, et des poules et des œufs. Et un zizi.

J'ai refermé le livre, je me sentais bizarre à l'intérieur. Je m'ai assis sur mon lit. Et puis la porte s'est ouverte et un poulet est entré dans ma chambre, il avait une crête qui était rouge. C'était comme de la peau et ça ballottait d'un côté et de l'autre. Il a grimpé sur mon lit et a essayé de s'approcher de moi et moi j'essayais de le repousser. Et puis il y eut un autre poulet et encore un autre. Ma chambre en était pleine et y en avait qui pondaient des œufs et celui qui était sur mon lit a commencé à donner des coups de bec à mon zizi alors j'ai eu très peur et je l'ai frappé et sa crête s'est mise à gonfler et à devenir grosse et quand je l'ai touchée avec mes doigts et il en est sorti une espèce de jus blanc sur ma main. Et puis c'était plus un poulet ou une poule. C'était Jessica. Elle était assise sur mon lit avec une main sous sa robe et elle me regardait.

— Gilbert, qu'est-ce que tu fabriques, a crié ma manman depuis l'escalier, ça va ?

J'ai ouvert la porte en me frottant les yeux.

— Tu t'étais endormi, elle m'a dit. Il est presque l'heure de se mettre à table. Va vite te laver les mains et descends. Et ne réplique pas à ton père, il est d'une humeur massacrante.

Je suis allé me laver dans la salle de bains. (J'ai utilisé une savonnette Sweetheart, c'est celles que je préfère, elles ont des dessins gravés dessus.) Quand je suis retourné dans ma chambre me changer y avait plus ni poulet ni Jessica. J'ai remis *la Petite Graine* dans ma commode et je suis descendu dîner.

— Je croyais que tu devais réviser pour ton concours d'orthographe, m'a dit Jeffrey.

Il était en train de regarder les filles dans un magazine, les publicités pour les sous-vêtements.

— On est en république, non ?

— Tiens, fume, il m'a dit en faisant un geste comme ça au-dessus de son zizi que c'est pire qu'un gros mot.

Mon papa l'a tapé. Il était d'une humeur massacrante.

Pour dîner manman avait fait de la poitrine. C'était délicieux et nutritif. Sauf que Jeffrey arrêtait pas de chahuter. Il me donnait des coups de pied sous la table. Mais après dîner y m'a aidé à réviser pour le concours d'orthographe.

Le concours d'orthographe a eu lieu deux semaines après le zoo. C'était l'automne, octobre. (Je m'en souviens pasque mon papa m'a donné son blouson de plastique jaune. Il est super-chouette mon vieux. Les manches gonflent un peu sur moi pasqu'elles sont trop longues mais j'aime que ça soye en plastique, pas en tissu. Mais la fermeture à glissière est cassée, c'est pour ça que je l'ai eu.)

Pendant deux semaines Jeffrey m'avait aidé à réviser. Je m'ai servi de *J'apprends l'orthographe : Livres I, II et III*. Jeffrey en avait deux qu'il avait gardés d'avant et Mlle Iris m'avait prêté le troisième. Et aussi je me servais d'un dictionnaire. Jeffrey me demandait des mots et moi je les épelais.

D'abord il y a le concours d'orthographe de la

classe, puis celui de toutes les classes de même année, puis celui de l'école, celui de toute la ville et je sais plus quoi encore après. Celui de ma classe je l'ai remporté en épelant liquoreux. J'ai eu droit à une petite image collante sur mon front. C'était une dinde. (Mlle Iris avait fini ses étoiles.) Ma manman m'a dit qu'elle était très fière de moi et elle m'a emmené chez Maxwell après l'école et elle m'a dit que je pouvais choisir un jouet pas trop cher. J'ai demandé Zorro. C'est un modèle déjà monté. Il est super. Y a des tas de modèles et de maquettes chez Maxwell mais c'est Zorro le plus grand. Jeffrey dit que c'est pasqu'il est d'une autre marque. Mais moi je crois que c'est pasqu'il est espagnol. De toute manière il était trop cher, alors j'ai eu une nouvelle boîte de soldats. Mais manman a dit que si je gagnais le concours d'orthographe des trois troisièmes réunies, je pourrais avoir Zorro.

La veille du concours, j'étais nerveux. J'ai eu ma pleurodynie. Alors j'ai emporté *J'apprends l'orthographe : Livre I* avec moi au cabinet pour m'entraîner encore.

— Gilbert, qu'est-ce que tu fabriques là-dedans ? elle a demandé ma manman.

— Rien, que j'ai répondu.

— C'est bizarre, j'aurais juré que tu chantais *Heartbreak Hotel !* qu'elle a dit. (Et pourtant, c'était exactement comme le disque. Mais alors exactement.)

Le lendemain j'étais même pas nerveux ce qui m'a surpris mais c'était comme ça. Je m'ai levé j'ai mangé mon petit déjeuner et puis Shrubs est passé me prendre comme toujours et puis il est allé au salon et il a chipé des bonbons dans le truc en verre de manman comme toujours, et puis on est parti. J'y ai dit que peut-être j'allais avoir le Zorro de chez Maxwell et il a dit : « Eh ben dis donc. »

A la cloche j'avais des fourmis dans les jambes. (Pas des vraies fourmis.) On avait d'abord cours avec Ackles la prof de sciences nat. Elle est du Sud, elle nous appelle « les amis ». Et puis aussi elle a un calepin dans lequel elle te colle un zéro si tu te conduis mal. Elle appelle ça « un bon gros zéro ». Ce matin-là, Marty Polaski a levé le doigt quand elle a demandé qui avait quelque chose d'intéressant à raconter.

— Ce matin, j'étais chez moi occupé à fabriquer une petite chaise électrique quand je me suis tranché le doigt par accident. Mais je l'ai ramassé par terre et je l'ai mis dans une petite boîte pour pas le perdre. Et le voilà !

Il a sorti une petite boîte blanche et dedans y avait du coton et sur le coton y avait son doigt dis donc ! La mère Ackles est devenue toute blanche comme si elle allait dégobiller. Marilyn Kane est tombée dans les pommes. Et alors Marty nous a fait voir qu'y avait un trou dans le fond de la boîte et qu'il avait passé son doigt par le trou. (Il a eu droit à un bon gros zéro dans le calepin de la mère Ackles, les amis.)

Et puis une fille est venue dans la classe et elle a dit :

— Est-ce que les finalistes pour le concours d'orthographe des troisièmes veulent bien me suivre en salle 215 ?

Et j'y suis allé.

Dans la salle 215 tous les élèves étaient debout contre le mur comme un peloton d'exécution. Mlle Iris et Mlle Kolshar étaient assises au milieu de la salle sur leur fauteuil de professeur. Mlle Kolshar était dans un mauvais jour, ça se voyait tout de suite. Je me suis mis debout en face d'une fenêtre et j'ai regardé dehors. C'était l'automne et les feuilles tombaient des arbres. Ils étaient en train de devenir chauves.

La salle 215 c'est la salle de Mlle Iris. Elle avait encore d'accroché le tableau d'affichage que j'avais fait pour la Journée Portes Ouvertes. (La Journée Portes Ouvertes c'est quand vous venez à l'école avec vos parents et puis tout le monde fait la queue pour faire connaissance des maîtresses qui peuvent leur raconter des tas de mensonges sur vous. Mon tableau d'affichage était un cheval au galop avec d'écrit « Tous premiers ! ». On peut accrocher des notes et des feuilles de papier après. C'est moi qui l'avais fait. Je suis un artiste. Je suis bon en dessin. Mlle Verdon, la prof de dessin, elle dit que j'ai du talent. J'aime faire des bulletins d'affichage. On a le droit de se servir des ciseaux de maîtresse qui sont pointus et risquent de vous crever un œil.)

Quand tout le monde a été installé, Mlle Iris nous a dit les règles du concours d'orthographe.

— Nous demanderons à chaque élève un mot à la fois. Vous avez le droit de nous le faire répéter. De nous demander de l'utiliser dans une phrase. Mais une fois que vous avez commencé à épeler nous ne pouvons plus rien dire et vous n'avez pas le droit de changer d'avis en cours de route.

Et alors la porte s'est ouverte et Mlle Klegan est entrée. C'est une maîtresse. Y avait quelqu'un avec elle. Qu'elle tirait par le bras. C'était Jessica.

— Allez, mademoiselle, faites-moi le plaisir d'aller

prendre votre place parmi vos camarades. Et plus vite que ça.

Jessica a jeté à Klegan un regard noir. Elle portait un livre. Il était recouvert de papier noir, il venait de la bibliothèque de l'école.

— Veuillez déposer ce livre, mademoiselle, a dit Kolshar. Les livres sont interdits pendant les concours d'orthographe

— Il a fallu que je la traîne jusqu'ici, a dit Mlle Klegan.

— Pourquoi ? a demandé Mlle Iris.

Klegan s'est tournée vers Jessica et elle a répété :

— Pourquoi ?

— Mais comment voulez-vous que je le sache, bon sang ! a fait Jessica. (C'était pas une façon de parler devant des maîtresses. Tout le monde a attendu.)

— Je ne vais certainement pas vous encourager à continuer sur ce ton, espèce de péronnelle, taisez-vous ! a dit Klegan. Et faites-moi le plaisir de ranger ce livre dans votre pupitre et finissons-en !

Jessica a attendu une minute mais elle a quand même rangé le livre. Mlle Kolshar a dit « Merci, Fran », à Mlle Klegan qui est repartie.

Et le concours d'orthographe a commencé.

Mlle Kolshar a demandé gamin à Mike Funt.

— Vous pouvez l'utiliser dans une phrase s'il vous plaît ? a demandé Mike.

— Oui. C'est un petit gamin.

— Gamin. G-A-M-I-N. Gamin.

Mlle Iris a demandé promenade à Marion Parker.

— Promenade. P-R-O-M-E-N-A-D-E. Promenade.

Mlle Kolshar a demandé à Tommy Halsey bicyclette.

— Byciclette. B-Y-...

Mais il s'est rendu compte qu'il se trompait et il s'est rassis en pleurant presque.

Mlle Kolshar a demandé bicyclette à Ruth Arnold

— Vous pouvez l'utiliser dans une phrase s'il vous plaît ?

— Oui. Je viens à l'école à bicyclette.

— Bicyclette. B-I-C-Y-C-L-E-T-T-E. Bicyclette.

Elle a épelé en souriant. Je déteste Ruth Arnold. C'est toujours le chouchou pasqu'elle est tellement maligne et qu'elle joue du violon. Une fois je lui ai posé une devinette :

> L'aéroplane rugit et vrombit dans les airs
> Peux-tu m'épeler ça sans « r » ?

Elle a pas pu, Ruth Arnold. Alors je lui ai dit : « Ça, Ç-A, ça ; ah, ah, ah » ! Pour ne rien vous cacher, je voudrais la tuer, moi, Ruth Arnold. Une fois, en instruction civique, elle m'a cafté pasque je montrais à Shrubs comment qu'on fait pour faire croire qu'on s'arrache le pouce. J'ai dû aller voir dans le couloir si la mère Crowley (qui nous fait instruction civique) y était et j'ai manqué un contrôle et elle m'a collé un zéro alors que je parlais même pas d'abord. (Je faisais plutôt de la pantomime, comme on a appris en classe.)

Mlle Iris m'a demandé automne. J'ai épelé facile j'ai même pas eu à lui demander une phrase. Mais Ruth Arnold a levé le doigt et elle a dit :

— Mademoiselle, mademoiselle ! C'est pas juste ! Y a le mot « automne » sur le tableau d'affichage. Là, dans les papiers, *Un poème d'automne*. C'est Gil qui a fait le tableau, il a vu.

— C'est pas vrai, menteuse ! j'ai dit moi.

— On ne vous a pas donné le signal de parler, a dit Kolshar.

Mais elle a dit que Ruth Arnold avait raison et qu'il fallait que Mlle Iris me demande un autre mot.

— Attends un peu, Helen, a répondu Mlle Iris, je ne trouve pas juste que Gilbert doive épeler un deuxième mot. D'ailleurs, ce n'est pas lui qui a affiché ces papiers. C'est moi. Il a seulement fabriqué le tableau d'affichage.

— Bon, eh bien, c'est moi qui vais lui demander un mot, alors, a dit Mlle Kolshar.

— Il n'en est pas question, a dit Mlle Iris.

Elle devenait toute rouge et tous les élèves commençaient à ouvrir de grands yeux.

— Mais enfin regarde, tu vois bien que c'est sur le tableau, a dit Mlle Kolshar.

— Mais ça ne va pas, non ? Il ne peut pas voir le tableau de là où il est.

Les deux maîtresses se sont mises vraiment en colère et elles se regardaient en chiens de fusil. Et puis Mlle Iris a dit que si quelqu'un devait vraiment me demander un mot de plus, ce serait elle. Et elle m'a demandé alternativement.

— Vous pourriez l'utiliser dans une phrase s'il vous plaît ?

— Oui. La règle d'un concours d'orthographe c'est que les maîtresses posent alternativement les questions.

— Alternativement. A-L-T-E-R-N-A-T-I-V-E-M-E-N-T. Alternativement.

Alors Mlle Kolshar a demandé détruire à Joan Overbeck et Mlle Iris a demandé négligence à Irving Klein. Et Mlle Kolshar a demandé exagération à William Gage qui s'est trompé mais n'a pas voulu s'asseoir. Mlle Kolshar lui a dit de s'asseoir, mais rien à faire, il restait à regarder par terre sans bouger. Y voulait pas avoir perdu. Alors c'est Mlle Iris qui lui a parlé :

— Ecoute, William, mon bonhomme, ce sont les règles et il faut que tout le monde les respecte, tu comprends, mon grand ? Tu auras de nouveau tes chances au semestre prochain. Je parie que tes parents seront déjà très fiers de toi en apprenant que tu es allé aussi loin dans le concours.

Alors William s'est assis et Mlle Kolshar a de nouveau regardé Mlle Iris en chien de fusil.

Et puis ça a été le tour de Jessica. Mlle Iris lui a demandé comment mais Jessica a eu l'air de ne pas entendre.

— Jessica.

— Oui ?

— Comment.

— Comment quoi ?

Tout le monde a ri. Kolshar était folle de rage.

— Comment c'est votre mot, petite écervelée. Epelez-moi ça plus vite que ça !

— Ç-A.

— Dites donc, Jessica, vous préféreriez peut-être renoncer à votre droit de concourir pour vous rendre directement au bureau de la directrice ? a dit Kolshar. C'est ça que vous voulez ? Ça peut s'arranger très facilement mais croyez-vous que vos parents trouveront ça amusant ?

Ensuite, c'est Mlle Iris qui a parlé :

— Jessica, ou bien tu épelles un mot, ou bien je te colle un zéro en orthographe pour le semestre entier, nous sommes bien d'accord ?

Elle était furieuse aussi. Mais j'ai pensé quelque

chose. J'ai pensé que Jessica était très forte en classe et qu'elle allait gagner le concours d'orthographe. Et je suis devenu très inquiet.

— Comment, a dit Mlle Kolshar.

— Pourriez-vous l'utiliser dans une phrase s'il vous plaît ?

— Oui. Comment allez-vous ?

— Comment, a dit Jessica. M-O-X-P-L-Y-T. Comment.

Personne n'a rien dit, tout le monde ouvrait de grands yeux. Jessica restait debout sans bouger. Et puis, très, très doucement, Mlle Kolshar a dit :

— Filez au bureau de la directrice, mademoiselle.

Jessica a repris son livre dans le pupitre et elle a pris la porte. Dave Sutton a fait : « Po-pom, po-pom, po-pom-po-pom-po-pom... » (C'est la musique de la panthère rose à la télé.)

— Qui vous a donné le signal de parler ? a demandé Kolshar.

Et puis les mots ont commencé à devenir difficiles. Les élèves savaient pas les épeler et ils abandonnaient le concours. Helen Tressler est sortie sur cellophane. Audrey Burnstein aussi, celle qui porte un appareil dentaire. Et cinq élèves sont tombés sur yacht, jusqu'à ce que Ruth Arnold l'épelle correctement. Elle n'a pas manqué non plus décorum et nausée. Moi, j'ai eu hospitalier et incriminer. On n'était plus que quatre en jeu. Nancy Kelton est tombée sur engrais et Sidney Weiss après elle. Mais Ruth Arnold a encore réussi. Y restait plus qu'elle et moi.

Mlle Iris m'a demandé attraper.

— Vous pouvez l'utiliser dans une phrase, s'il vous plaît ?

— Oui. Si tu ne cours pas plus vite je vais t'attraper.

— Attrapper. A-T-T-R-A-P-P-E-R. Attrapper.

— Ruth Arnold, elle a fait Mlle Iris. Attraper.

Et j'ai su que je m'étais trompé. Tout d'un coup j'ai eu l'impression que j'allais tomber. J'avais perdu le concours d'orthographe. Ruth Arnold a dit :

— Atraper. A-T-R-A-P-E-R. Atraper.

Elle s'était trompée aussi. J'ai failli éclater de rire.

Mlle Kolshar m'a demandé finance.

— Finance. F-I-N-A-N-C-E. Finance.

Je l'ai dit un peu au hasard mais sans me tromper. Et alors Mlle Iris a demandé scène à Ruth Arnold.

— Sène. S-È-N-E. Sène, a dit Ruth Arnold.

Et moi je le savais, je le savais ! Je le savais à cause de « la grande scène du II » que j'avais cherchée au dictionnaire ! Alors je l'ai bien épelé. Et Mlle Kolshar m'a demandé nécessaire.

— Nécessaire. N-É-C-E-S-S-A-I-R-E. Nécessaire !

Mlle Iris s'est mise à applaudir. Kolshar lui a lancé un regard mais j'avais gagné le concours d'orthographe ! Le concours de toutes les troisièmes années ! Et je me suis mis à applaudir aussi. Je m'applaudissais. Mlle Kolshar a fait remarquer que ce n'était pas très intéressant. Mais j'applaudissais encore et encore. J'ai applaudi jusqu'à ce que tous les autres soient sortis. Mlle Iris m'a donné un baiser sur le front et elle m'a dit :

— Va donc au bureau chercher ton prix, voilà un billet.

C'est ce que j'ai fait.

Devant le bureau il y avait quelqu'un d'assis sur le banc où s'asseyent les méchants et attendant de se faire engueuler par la directrice. C'était Jessica. Je suis passé devant elle, et je suis entré dans le bureau, sans rien lui dire pasqu'elle ne m'avait pas vu, elle était en train de lire son livre. J'ai demandé à la secrétaire rousse pour mon prix. Elle m'a dit que c'était un dictionnaire. Que j'aille l'attendre dehors, assis sur le banc. Alors j'y suis retourné. Jessica lisait toujours. J'ai vu le livre, c'était *l'Etalon noir.*

La cloche a sonné. Tous les élèves sont allés à leurs casiers. Ils m'ont vu assis sur le banc. J'ai dit :

— J'ai pas été puni. Je viens de gagner le concours d'orthographe.

Comme ça personne n'a pensé que j'étais puni. Mais Jessica, elle, elle a rien dit, elle continuait de lire. Au bout d'un moment, elle a posé le livre et elle a regardé dans le hall, mais personne en particulier. Personne. Et elle a dit :

— Pour le moment, il doit être dans le Wyoming. Il a commencé dans le Montana, avec tout le troupeau, c'est lui le chef parce qu'il est le plus grand et le plus sauvage, personne ne peut le monter que moi. Mais maintenant il vient tout seul.

— Qui ça ? j'ai demandé.

Elle s'est tournée et elle m'a regardé droit dans la figure et j'ai vu ses yeux. Y sont géants, mon vieux, verts avec des éclats marron dedans.

— Blacky, elle a répondu. Mon cheval.

— Ah, bon.

Et puis on a plus rien dit pendant longtemps. Les élèves ont arrêté de passer devant nous, les portes des casiers ont cessé de claquer et tout est resté coi et tranquille dans le hall de l'école.

Et puis Jessica a dit quelque chose :

— Tu sais, Gil, je t'ai laissé gagner le concours d'orthographe, elle a dit. Parce que tu en avais très envie.

11

Une fois j'avais cinq ans. J'allais souvent en voiture. Je me mettais à côté de papa sur la bosse. La bosse c'était au milieu du siège avant, là où il n'y avait pas de couture. Ça me soulevait comme ça je pouvais voir. C'était ma place spéciale à moi tout seul. Une fois on est allé jusqu'à Frankfort dans le Michigan et j'ai passé tout le voyage sur la bosse. Tout le voyage.

Et puis un jour mon papa nous a emmenés Jeffrey et moi dans la boutique Hanley-Dawson Chevrolet pour acheter une nouvelle voiture. On y est allé dans notre vieille voiture. J'étais assis sur la bosse. Et puis on est monté dans la nouvelle voiture. Elle avait une drôle d'odeur. Papa est monté et il a démarré. On est parti. J'ai regardé par la vitre arrière notre vieille voiture et je lui ai fait au revoir avec la main.

— Et notre vieille voiture, papa ? j'ai demandé.

— Quoi, ce tas de ferraille ? On s'en fiche.

J'ai regardé le siège avant. Y avait pas de bosse. Mon papa a expliqué :

— C'est parce que cette petite merveille a le moteur à l'arrière. Vous avez vu toute la place supplémentaire que ça nous donne ?

J'ai posé mon menton sur le dossier du siège arrière

et j'ai regardé notre vieille voiture par la fenêtr arrière. J'ai même pleuré, peut-être. Et Jeffrey m'a dit :

— Qu'est-ce que t'as à pleurer, bébé ?

Et j'ai dit :

— J'ai pas de place pour m'asseoir.

12

Je suis à la Résidence Home d'Enfants les Pâquerettes depuis deux semaines et demie maintenant. Tous les jours le facteur vient mais je ne reçois aucune lettre de Jessica. Et tous les jours je demande au Dr Nevele si y a une lettre pour moi et il me répond non.

Ce matin j'étais assis devant la table où nous jouons des fois à des jeux dans mon aile. J'étais en train de fabriquer monsieur Tête de Patate. Il était en pâte à modeler, pas en vraie pomme de terre comme à la maison. J'étais en train de lui mettre un nez quand Mme Cochrane est entrée en disant qu'elle avait une grande nouvelle.

— J'ai de très bonnes nouvelles ce matin, qu'elle a dit en souriant vraiment très faux-jeton. La nouvelle piscine est terminée. A partir d'aujourd'hui, tous les pensionnaires des Pâquerettes pourront y aller, quand ce sera leur tour. On a fait un emploi du temps et figurez-vous que nous sommes dans le tout premier groupe ! Pour de la veine, c'est de la veine, non ? Dès que nous aurons fini le petit déjeuner, nous irons nager !

Tous les enfants ont crié : « Ouah, super ! »

Sauf un. Moi. Je suis resté à faire mon monsieur

Tête de Patate. Je lui ai mis un autre nez, un grand comme celui du Dr Nevele, sauf qu'il avait pas de poils à l'intérieur comme le sien, ce qui me rend malade tellement c'est dégoûtant, pour ne rien vous cacher.

Le premier jour à la Résidence Home d'Enfants les Pâquerettes, on m'avait parlé de cette nouvelle piscine en construction et des fois, j'entendais des bruits, c'était très loin dans les sous-sols. Avant, on mettait tous les enfants dans un car pour les emmener nager à l'YMCA *. Je déteste l'YMCA, je voudrais pouvoir la tuer. (Une fois l'oncle de Shrubs a payé l'inscription à l'YMCA pour Shrubs et moi pendant un an. C'est un goy. Comme la maman de Shrubs. Je ne suis allé à l'YMCA qu'une fois parce qu'elle me file les trouilles. Y a des croix partout et des images de Jésus-Christ sur tous les murs et j'ai vu dans les douches que tous les hommes avaient un zizi à manche longue.)

— Bien sûr, nous devons tous nous conduire comme des anges, disait encore Mme Cochrane. Si nous voulons avoir le droit d'aller à la piscine. Nous ne pouvons pas envoyer les garnements à la piscine, n'est-ce pas ? Ce serait injuste pour les autres enfants, ceux qui font un effort pour se tenir bien.

J'ai ajouté encore un nez à monsieur Tête de Patate.

Manny a dit qu'il voulait pas aller se baigner pasqu'il avait pas de maillot et Mme Cochrane a dit que des costumes de bain seraient mis à notre disposition. Ça voulait dire qu'on nous prêterait des maillots. Tous les enfants ont crié « hourra ! » sauf Howie qui se curait le nez. Je l'ai vu. (J'aime bien me curer le nez de temps en temps pasque j'aime bien les

* Association chrétienne de jeunes gens (*N.d.T.*).

loups. Je les roule et je les jette. A l'école, des fois, je suis assis à côté de Marty Polaski et y se cure le nez et y me montre et y se met à chanter *Qui est-ce qui a peur du grand méchant loup?* Il est fort pour les blagues, il est rigolo, mais c'est un garnement.)

Tous les enfants de notre aile étaient en train de sauter et de danser en chantant : « On va à la pisci-neuh ! On va à la pisci-neuh ! »

Sauf moi. Alors Mme Cochrane s'en est aperçue et elle est venue vers moi et elle a regardé monsieur Tête de Patate. Il avait plus que des nez.

Quand tout le monde a été habillé on est allé au petit déjeuner. Y avait des œufs au plat avec les jaunes qui faisaient comme des yeux. J'étais assis à côté de Robert. Il pleure tout le temps. Alors je lui ai dit :

— Eh ! Robert ! Regarde un peu ça. On dirait que cet œuf c'est ton œil, d'ac ?

Il a dit d'ac et j'ai planté mon couteau dans le jaune qui a coulé sur toute l'assiette. Et il s'est mis à pleurer. Alors je lui ai donné un coup de poing dans la bouche et il a aspergé Mme Cochrane de céréales. Elle en avait partout. Elle s'est fichue vraiment en rogne et elle m'a attrapé la main à travers la table, c'était un poing. Et j'ai tiré et mon poing s'est écrasé sur mon assiette et l'a cassée en morceaux. Un morceau a frappé la figure de Robert qui s'est mis à hurler. Tout le monde s'est retourné vers nous pour voir ce qui se passait. Alors je me suis levé sur ma chaise et j'ai commencé à marcher sur la table, dans les assiettes de tout le monde et j'ai renversé les carafes d'eau. J'ai balancé un bon coup de pied dans mon verre de jus d'orange et il a valdingué à travers toute la salle et il est allé frapper Rudyard dans le dos. Il s'est retourné, il m'a vu, mais il a rien dit.

Mme Cochrane s'est levée et m'a attrapé par la ceinture en criant à un employé de la Résidence Home d'Enfants les Pâquerettes qui était à la table d'à côté de venir l'aider. Et le monsieur s'est levé et il est venu me prendre alors je lui ai donné un coup de pied dans le ventre et il m'a pris les bras et me les a tordus et je pouvais plus bouger et il me serrait vraiment fort. Il m'a emporté de la salle à manger. Mme Cochrane est venue aussi.

Quand on est arrivé au bureau du Dr Nevele il y avait déjà quelqu'un dedans, la porte était fermée alors l'employé m'a fait asseoir sur le banc et m'a tenu très serré. Mme Cochrane a frappé à la porte et elle est entrée dans le bureau. J'ai essayé de mordre le monsieur mais il a tiré si fort sur mes bras que j'ai cru qu'il allait les casser. Je pouvais plus bouger. Et puis Mme Cochrane est sortie du bureau et elle avait la figure rouge. Juste derrière elle venait une dame. J'ai arrêté d'essayer de mordre l'employé. J'ai regardé la dame et elle m'a regardé. Je ne savais pas quoi faire. C'était la mère de Jessica.

Elle me regardait comme si elle était paralysée, gelée sur place, comme si j'étais un monstre. Et puis elle a regardé ailleurs sans dire un seul mot et j'ai vu qu'elle tremblait.

Le Dr Nevele est sorti, il a posé la main sur son dos et elle l'a regardé lui et puis moi et lui a fait oui avec la tête et elle est partie. J'ai rien fait du tout. L'employé m'a lâché et le Dr Nevele m'a dit d'entrer dans son bureau. Il était en colère.

— Bon, que se passe-t-il, cette fois ? qu'il a demandé.

— Rien.

Il a sorti un tas de papiers d'un tiroir de son bureau mais ils lui ont glissé des mains et sont tombés par terre.

— Merde, il a dit.

— Faut pas dire des gros mots, docteur Nevele, j'ai dit, moi

Il a ramassé les papiers un par un, mais il y en avait deux attachés ensemble par un trombone qui restaient par terre sous le bureau. Lui ne les voyait pas mais moi si. Je les ai touchés avec ma chaussure.

— Bon, il a dit, qui a commencé cette fois-ci.

— Moi, j'ai dit.

— Que s'est-il passé ?

— Rien. Est-ce que je peux aller en Salle de Repos ?

— Non, qu'il a dit. Pas question. Chaque fois que tu as la moindre contrariété tu files dans cette fichue Salle de Repos écrire sur le mur au lieu de te confier à moi. Peut-être que si je t'empêche d'aller là-bas tu me parleras.

— Docteur Nevele, que je lui ai dit, jamais je vous parlerai, jamais.

Et je m'ai levé et j'ai été jusqu'à sa bibliothèque et j'ai posé ma main dessus comme si j'allais encore la fiche par terre. Mais il m'a repoussé sur le fauteuil et il a sorti la ceinture. Il l'a mise autour de moi lui-même cette fois, et il l'a serrée très fort. J'ai essayé de la desserrer, elle me pinçait.

— Laisse-la ! qu'il a hurlé.

J'ai eu peur. Je l'avais encore jamais entendu crier

— Tu vas rester ici mon garçon ! Et réfléchir un peu à tout ça.

Et puis il est sorti du bureau. Et j'étais seul.

J'ai pensé à une fois où on était allé à Frankfort, dans le Michigan, avec mon papa et ma manman et mon grand frère et puis on était allé au Crystal Lake pour nager sauf que moi je voulais pas pasque je savais pas mais on y est allé quand même. Mon papa m'avait mis une ceinture de sauvetage qui était froide et toute mouillée pasque quelqu'un s'en était servi avant moi, c'était orange avec des boucles qui m'ont pincé le nombril quand il les a fermées. Je pleurais, j'arrêtais pas de pleurer. Y m'a ramassé et il a dit : « Ça suffit fiston, tu veux donc que tout le monde sache que tu ne sais pas nager ? » Et il m'a fait honte. Mon père m'a emporté dans l'eau. Il m'a emporté tout au bout là où c'est profond, là où j'ai pas pied où y a de l'eau au-dessus de ma tête. J'ai crié : « Me lâche pas, s'il te plaît, me lâche pas ! » et il a dit : « Je ne te lâcherai pas, voyons. » « Je veux sortir ! Je veux sortir ! » je hurlais. « S'il te plaît ! » Mais non, y ne voulait pas. Il m'emmenait encore plus loin. Et puis il a commencé à me mettre dans l'eau. « Non ! » que j'ai encore hurlé mais il a commencé à me lâcher. Il a dit : « Tu n'as pas à t'en faire, tu as une bouée, une ceinture de sauvetage ! » Et il m'a lâché. J'ai essayé de m'accrocher à lui, de m'agripper mais il m'a dit : « Eh, attention avec tes ongles ! » « Non, papa ! Non ! » je hurlais. « Je vais me noyer ! Je vais me noyer ! » Mais ça ne l'a pas empêché. Il m'a lâché et d'un seul coup je voyais plus rien. C'était monté au-dessus de ma tête et j'avais commencé à couler et il faisait un froid terrible dans mes oreilles et je voyais plus rien et j'entendais plus qu'un gros bruit comme un train qui passe. J'ai voulu respirer mais il m'est entré que de l'eau et je m'ai mis à étouffer. Et puis il m'a repris. Je toussais, je toussais, j'arrivais pas à m'arrêter de tousser. Je l'ai tapé à coups de poing en criant, criant. En criant si fort que j'entendais rien d'autre. « Tout va bien, fiston », il me répétait dans l'oreille. « Tout va bien, tout va bien. » Mais c'était pas vrai. Alors il m'a ramené au bord, mais je m'ai dit quelque chose à moi-même. Dans ma tête. J'irai plus jamais nager, plus jamais.

Le Dr Nevele est revenu. J'avais enlevé la ceinture. Je l'avais enlevée tout seul. Y s'en est même pas aperçu.

— Tu sais, Gilbert, il m'a dit, on vient de terminer la nouvelle piscine. Mais si tu continues à te comporter aussi mal je t'interdirai provisoirement d'aller te baigner avec les autres. C'est ça que tu veux ? Que je t'interdise la piscine ?

Alors je suis allé jusqu'à son bureau, j'ai pris tous les papiers qu'étaient dessus et je les lui ai jetés à la figure et j'ai couru jusqu'à la fenêtre et j'ai cassé un carreau d'un grand coup de poing et j'ai hurlé :

— Je veux rentrer chez moi, je veux rentrer chez moi, je veux rentrer chez moi !

Le Dr Nevele m'a attrapé.

— Bon, c'est complet ! J'en ai par-dessus la tête. Vas-y dans ta fichue Salle de Repos ! Vas-y ! Mais tu seras privé de piscine, tu m'entends ! Tout le monde ira à la piscine sauf toi ! Allez, disparais, sors d'ici !

J'ai tendu la main pour ramasser sous son bureau les papiers qui étaient tombés. Vite vite je les ai mis dans ma poche et j'ai été dans la Salle de Repos.

Je m'ai assis dans un coin et j'ai taillé mon crayon avec mes dents pour écrire. Ça m'a fait la langue toute noire. J'ai pensé aux affiches oùsqu'on met du crayon sur les dents des dames pour faire croire qu'elles en ont plus...

La porte s'est ouverte. C'était Rudyard, il m'a regardé dans le coin et il a mis un doigt contre sa bouche pour faire *chut !* Il est venu s'asseoir en face de moi, dans l'autre coin, tourné vers le mur.

— Le Grand Salut ! qu'il a chuchoté.

Et puis il a mis sa main sous son menton, comme ça, et il a gigoté ses doigts pour faire la barbichette.

Je le regardais.

— Le Grand Salut, il a répété de nouveau, et il l'a fait.

Et puis il a soupiré un peu comme ça et il m'a dit

— C'est le Grand Salut, Gil (et il l'a refait), c'est juste pour que tu le connaisses.

Il s'est appuyé en arrière contre le mur, il a fermé les yeux et il les a rouverts. Par-dessus ma tête, il regardait mon mur.

— Quelle jolie écriture, il a dit. Et puis les lignes sont très droites, aussi.

Je me suis levé d'un bond et je me suis mis devant le mur en hurlant :

— Non ! Y faut pas que tu regardes, Rudyard, c'est à moi, c'est privé !

— Même un tout petit peu ?

— Non !

Il a tourné le dos au mur en disant :

— D'ac Gil. Cochon qui s'en dédit.

— Et n'écris plus dessus non plus, le Dr Nevele a dit qu'y avait que moi qui peux écrire dessus.

Il s'est tourné de nouveau.

— Qu'est-ce que c'est que cette histoire que je n'écrive plus dessus ?

Je lui ai montré l'endroit où c'était pas mon écriture, où il avait écrit *Il voulait voir s'envoler les minutes.*

— C'est pas moi qui ai écrit ça, il a dit.

Il mentait pourtant, pasque je savais que c'était lui qui l'avait écrit, je le savais. Et puis j'ai vu qu'il avait quelque chose de passé dans sa ceinture et je lui ai demandé ce que c'était. Il m'a dit que c'était de la sauce piquante pour mettre dans la bouche des enfants fous qui mordent pour leur apprendre à ne plus mordre. J'ai déjà vu ça à la Résidence Home d'Enfants les Pâquerettes. C'est comme sur une petite éponge et ça brûle la bouche des enfants et alors ils ne mordent plus. Ils poussent des cris. Mais jamais j'avais vu Rudyard s'en servir. Je lui ai demandé pourquoi y s'en sert pas.

— J'aime pas les plats épicés, il a dit.

Et puis il a plus rien dit et moi non plus. On est simplement restés assis, comme ça, sur le plancher, sans rien dire. Et puis il s'est levé pour partir.

— Où tu vas ? j'ai demandé.

— Nulle part, il a répondu.

Et il a traversé le vestibule pour aller dans une pièce spéciale qui est là et qu'on appelle Salle de Thérapie Ludique où on emmène les enfants pour que les docteurs les regardent jouer avec tous les trucs qui sont là et écrivent des choses sur leur carnet. Moi j'étais jamais allé dedans. J'ai suivi Rudyard.

Il avait laissé la porte ouverte alors je suis entré. Il était assis sur une chaise au milieu de la pièce et tout autour de lui il y avait des choses pour jouer sauf qu'elles avaient pas l'air tout à fait normal. Il y avait une grosse maison de poupée avec des gens en bois à l'intérieur, il y avait une manman, un papa et même un petit chien. Il y avait une boîte avec d'autres personnes de bois dedans, il y avait un docteur et une infirmière, et un policier et un facteur. Rudyard était assis, les mains repliées sur les genoux, il ne disait rien. Il était seulement assis sans rien dire.

J'ai pris le petit facteur de bois dans la boîte et je l'ai assis sur mes genoux et il m'a dit que Jessica allait très bientôt m'écrire des lettres et qu'il me les apporterait alors que j'avais pas à m'en faire.

— D'ac, j'ai dit, je m'en fais pas

— Moi si, a dit Rudyard.

— Je te parlais pas à toi.

— Tant mieux, il a dit, pasque moi je te parlais pas à toi non plus.

— A qui tu parlais ?

— A moi-même, a dit Rudyard.

Et il a levé sa main devant ses yeux et il s'est mis à gigoter les doigts.

— Fais pas ça, je lui ai dit pasque ça m'énervait. Il fait comme un dingue des fois et ça ne me plaît pas. Mais y s'est pas arrêté. Il l'a fait encore plus. J'ai reposé le facteur et je suis allé jusqu'à lui et je lui ai attrapé la main pour qu'il arrête de gigoter les doigts.

— Fais pas ça !

— Oh, il a fait, c'était donc à moi que tu parlais ?

Je suis allé à la maison de poupée et j'ai ramassé la manman. Et puis je l'ai reposée et j'ai ramassé le petit garçon. C'était moi. Il allait au cabinet. Il avait de la pleurodynie pasqu'y ne voulait pas aller à la piscine, y voulait pas nager.

Et puis Rudyard m'a dit :

— Je crois que j'ai besoin que tu me rendes un service, Gil.

— Quoi donc ? j'ai demandé.

Le petit garçon de bois sortit du cabinet et alla dans le salon, seulement y pouvait pas regarder la télé pasqu'il avait pas pris son bain avant Popeye.

— Je me demandais si tu voudrais bien m'aider. Y faut que j'aille nager aujourd'hui mais j'ai un peu peur, c'est tout.

— T'es qu'une mauviette, je lui ai dit.

— Merci, a dit Rudyard. T'as raison, d'ailleurs j'ai peur de plusieurs choses. La mort et nager. C'est pour ça que je suis ici. Normalement, en ce moment, je devrais être en train de mourir à la piscine.

— C'est pas vrai, je lui ai dit.

Y mentait, mon vieux. C'est un grand, il avait pas peur. Y mentait.

— Si, il a dit.

Je lui ai jeté le petit garçon de bois en criant :

— C'est pas vrai, c'est pas vrai ! T'es qu'un menteur ! Tu mens, salaud ! Y a que les mauviettes qu'ont peur de nager, que les mauviettes !

Mais Rudyard il a rien dit. Y s'est seulement levé pour ramasser le petit garçon de bois sur le plancher et il l'a tenu dans sa main. Il l'a tenu dans ses deux mains.

Pour commencer on passe par le vestiaire avec des casiers métalliques. Les casiers sont plus petits que ceux de l'école mais ils font beaucoup plus de bruit quand on les claque, comme des canons dans ma tête. Tous les enfants courent dans tous les sens en criant et en se battant et ça me fait très peur. On te donne une serviette mais elle est pas douce comme à la maison, elle me gratte. Y faut se déshabiller devant tout le monde. On te refile un maillot mais c'est pas le tien et on t'envoie aux douches qui sont une grande salle très chaude et pleine d'autres enfants que tu ne connais pas et le jet d'eau est si fort qu'il te pique et la salle sent l'odeur des gens tout nus.

Ensuite tu dois traverser l'entrée pour aller à la piscine. Il fait très froid et le sol est glissant. Je suis tombé. Tout le monde s'est moqué de moi mais Rudyard est venu et m'a ramassé et il les a regardés et ils ont tous arrêté. Et puis il m'a tenu la main et on est entré dans la piscine.

Il m'a mis un truc comme une bouée recouverte de tissu. Il s'en est d'abord mis à lui, comme une seule était trop petite, il en a attaché deux ensemble et il se les est mises. C'était marrant. Si j'avais pas eu tellement peur, j'aurais ri. Mais avant de m'en mettre une, il a pris la boucle et il a soufflé dessus et il l'a frottée dans ses mains.

— Je déteste quand ça fait froid, il a dit.

Et puis il me l'a mise et a fermé la boucle. Et c'était pas froid.

Y avait plein d'autres enfants dans la piscine. Ils sautaient dans l'eau en faisant des éclaboussures partout et en criant très fort sans arrêt. Rudyard m'a regardé et il m'a tendu la main. Il m'a pris la main et on a marché tous les deux jusqu'au petit bain. C'était très froid. J'ai failli hurler. Mais Rudyard a hurlé avant moi. Il hurlait :

— C'est trop froid !

Et y voulait pas entrer.

— Rudyard, je lui ai dit, les autres vont penser que t'es qu'un bébé.

Et il m'a regardé et il m'a dit qu'il s'en fichait de ce que les autres pensaient. Sauf moi. Moi ça l'intéressait. Alors je lui ai dit :

— On pourrait quand même y aller là où on a pied.

Et on y est allé.

On était debout dans le petit bain, y avait plein d'enfants qui éclaboussaient tout autour de nous.

Rudyard les a engueulés et y z'ont arrêté d'éclabousser. Il a crié que l'eau lui faisait très peur. Il leur a dit d'aller éclabousser ailleurs, et ils sont allés dans un autre endroit de la piscine. Y s'en fichait même si les autres pensaient qu'il était un bébé. Et moi j'étais content qu'il les aye fait partir.

— Qu'est-ce que t'en penses ? y m'a demandé en montrant vers le milieu de la piscine, tu crois qu'on essaye d'y aller ?

J'avais peur, seulement il avait peur aussi.

— Je suis trop petit, j'ai dit. C'est trop profond pour moi.

— Bon, ben, si je te prenais dans mes bras tu ne serais pas trop petit et moi j'aurais moins peur pasque tu serais avec moi.

Je l'ai regardé. Il a mis très doucement ses mains autour de moi et puis il m'a soulevé et il m'a tenu bien serré.

— Serre-moi fort, il a dit, pour que j'aye pas peur.

Et je l'ai serré très, très fort. Et on est allé dans le grand bain.

Tous les enfants criaient si fort qu'on entendait rien. Et puis d'un seul coup Rudyard s'est mis à crier aussi. Il criait :

— J'ai peur ! J'ai peur !

Mais personne ne pouvait le comprendre que moi, avec tout ce bruit. Alors j'ai fait quelque chose. J'ai dit :

— N'aye pas peur, Rudyard. Je suis là.

Et il m'a serré comme ça, comme un câlin. L'eau m'arrivait au ventre.

— Des fois ça m'aide de crier, il a dit. Quand j'ai peur. Je m'en fiche qu'on m'entende ou pas. Ça m'aide quand j'ai peur.

Et il m'a encore serré.

— Serre-moi un peu plus fort, Gil. Ça m'aide ça aussi.

Et je l'ai fait. L'eau m'arrivait à la poitrine.

Quelqu'un a lancé une balle et Rudyard l'a reçue en pleine figure. Il s'est mis dans une vraie rogne et a hurlé au garçon qui l'avait lancée de la prendre et de fiche le camp. Le gosse a eu très peur de Rudyard. Je l'avais jamais vu dans une telle colère.

— Je me fiche vraiment en rogne quand j'ai peur, il a dit. C'est tout le monde pareil. Des fois, les gens le savent même pas. La prochaine fois que tu seras terriblement en rogne, penses-y. Peut-être que tu découvriras que tu as peur de quelque chose, tu comprends ? Et alors plus besoin de te mettre en colère.

Il s'est mis à sauter. Il sautait en avançant et l'eau me montait un peu plus haut à chaque fois mais ça allait puisque je savais bien qu'il oserait pas me lâcher. Et l'eau m'arrivait au menton.

Alors Rudyard m'a serré encore plus fort.

— Eh, tu me serres trop, j'ai dit. Tu me fais mal.

Alors il m'a un peu lâché. Il continuait de sauter sur le fond de la piscine. L'espèce de bouée était dans l'eau et je sentais qu'elle me retenait.

— Lâche-moi un peu plus, j'ai dit.

— Tu crois ? Je ne sais pas, m'a dit Rudyard.

— Mais si, ça va. Lâche, j'ai dit.

Il se tenait encore à mes bras et à mes mains et il avait gardé un bras passé autour de moi.

— Donne des coups avec tes pieds, il m'a dit.

Je l'ai fait et je m'ai rapproché de lui. Puis j'ai arrêté et j'ai reculé, il me tenait le bras. Alors j'ai redonné des coups de pied et je suis allé vers lui de nouveau. Tout seul.

Rudyard s'est mis à rire.

— Tu nages, il m'a dit. Tu veux que j'aye l'air idiot ?

Mais moi je donnais des coups avec mes pieds et lui m'a lâché encore un peu plus. Y me tenait plus que le poignet.

— Tape avec tes mains, comme ça, qu'il m'a dit, comme ça !

Et je l'ai fait et je m'ai approché de lui encore plus vite.

— Repousse-moi encore ! je lui ai demandé.

Il l'a fait, et j'ai donné des coups de pied et tapé comme ça avec mes mains et je suis allé jusqu'à lui, vraiment vite.

Et puis un ballon m'est tombé sur la tête et ma tête est allée sous l'eau et je pouvais plus respirer et tout était devenu noir. J'ai essayé de respirer et j'ai pu ! Pasque Rudyard tout de suite tout de suite y m'avait complètement sorti de l'eau et perché sur son épaule, et il me tenait là, tout en haut, pour que je puisse respirer.

Il était hors de lui. Il disait des gros mots au petit qui m'avait lancé le ballon. Et puis il m'a serré contre sa poitrine et y m'a dit :

— Allez, on sort, maintenant.

— Non, j'ai dit.

— Non ?

— J'y arrive, Rudyard. Je nageais, mon vieux ! Je sais nager, tu te rends compte, mon vieux ? Je sais nager !

Et alors y m'a regardé droit dans la figure, ma

figure était juste en face de la sienne, et il m'a sour comme ça avec toute sa figure.

— C'est vrai, mon vieux, il m'a dit.

Et il m'a remis dans l'eau. Et il a marché à côté de moi tout le temps, tout le long de la piscine, avec une main sous moi presque à me toucher, et il a pas laissé personne s'approcher de moi ou me faire du mal ou me faire peur tout le long de la piscine. J'ai agrippé le rebord et je m'ai retourné. Rudyard était loin derrière moi. Il m'a fait le Grand Salut. Alors je lui ai crié « C'est le Grand Salut ! » et je l'ai fait aussi. Pasque je l'avais bien eu mon vieux. J'avais nagé tout seul Je savais nager, bon sang.

Quand je suis revenu de la piscine, j'ai trouvé quelque chose dans ma poche. C'était les papiers que j'avais ramassés par terre dans le bureau du Dr Nevele.

12/17

Le patient continue de refuser toute communication et toute coopération. Je suis bien contraint d'estimer que les interventions constantes et intempestives de Rudyard Walton sont pour quelque chose dans le peu de progrès de ce traitement. Bien que le conseil de discipline lui ait enjoint, cette semaine, de « déférer aux désirs du psychiatre officiellement responsable du patient, quel que soit son jugement personnel », il a trouvé de bonnes raisons de voir le patient plus encore que par le passé.

Aujourd'hui, j'ai reçu de lui une note que je crois devoir joindre au dossier pour information.

Dr Nevele,

Je vous adresse ce petit mot dans un but sincèrement « diplomatique » qui, vous avez pu le constater, n'entre pas vraiment dans le cadre de mon *modus operandi* habituel. Mais c'est un effort, parmi d'autres que vous n'avez pas été sans remarquer, que je suis prêt à consentir tant la situation me tient à cœur.

Voici ce que j'ai à dire : Sheriff, vous vous fourrez le doigt dans l'œil.

Le jeune Gilbert Rembrandt, encore que probablement coupable de quelque crime (terme que je continuerai d'utiliser par amour de la poésie) auquel a été mêlée une jeune fille, n'est certainement pas un criminel. Je demande un autre jury. Et plus précisément : moi-même.

Cet enfant ne menace guère plus la société que la petite marchande d'allumettes. Les psychoses que vous semblez très enclin à dénicher dans sa jeune psyché ne sont rien d'autres que des poteaux indicateurs qui montrent très clairement une direction et une seule, celle d'une ville où vous ne vous êtes apparemment jamais rendu : Egocité, la ville du Moi.

Gilbert s'est fait avoir et il est hors de lui. Vous le seriez à sa place, non? Il ne le sait pas par l'esprit (les arbres lui cachent la forêt) mais il le sait dans ses tripes (très littéralement parfois), et c'est en partie parce qu'il sait qu'il s'est fait avoir qu'il s'est laissé pousser jusqu'à l'incident concernant la petite Jessica Renton. C'est aussi pour cela qu'il pique des crises ou observe un silence qui vous déplaît ici, où il n'a rien à faire, il le sait fort bien.

Figurez-vous que c'est un être humain habillé en enfant. Il possède les organes et les sentiments de son espèce mais n'en a aucun des droits. Et il n'est pas le seul. Notre pays baigne encore dans l'idée malsaine qu'on n'est pas une personne à part entière avant d'être en âge de voter et de boire de l'alcool. C'est entièrement faux.

Avec tout le respect que je vous dois, docteur, vous n'y avez rien compris, et comme vous n'y avez rien compris, vous n'êtes pas en mesure de l'aider à comprendre. Vous ne pouvez rien pour lui. Laissez-le rentrer chez lui. Il n'est pas fou, il n'est même pas bizarre. Nous avons trouvé l'ennemi, c'est nous.

Bien à vous,

Rudyard Walton.

J'estime quant à moi que M. Walton souffre malheureusement du même genre de trouble de la personnalité que Gilbert Rembrandt à cette différence près que le plus âgé des deux dispose du langage et de sa maîtrise comme moyen de défense. Et d'ailleurs, il n'est pas jusqu'à ses méthodes thérapeutiques qui ne relèvent plus de l'astuce que d'une connaissance réelle (ce me semble). Ses imitations remarquables de ses patients autistiques, qui sont censées lui permettre d'établir des relations empathiques avec les patients, me semblent en réalité plus vaudevillesques et théâtrales que vraiment thérapeutiques. Et je demeure convaincu que les succès qu'il obtient en apparence avec les patients du pavillon Sud-Ouest se révéleront éminemment provisoires.

N'en déplaise à M. Walton, le cas de Gilbert Rembrandt sera traité par moi et par moi seul. J'examinerai seul sa conduite et déterminerai seul les mesures à prendre pour lutter contre des écarts qu'il n'est pas question un instant de tolérer. J'ai cette fois-ci décidé de porter officiellement plainte contre Walton auprès des autorités administratives compétentes de notre établissement. Walton sera entendu la semaine prochaine par notre conseil d'administration. En bonne justice, je pense qu'il sera écarté une fois pour toutes du personnel de la Résidence Home d'Enfants les Pâquerettes.

Depuis une semaine, des lettres de la fillette en question, Jessica Renton, sont arrivées à la Résidence pour le petit Gilbert. J'ai appelé sa mère au téléphone et verrai bientôt cette dame pour examiner la question avec elle. Je lui ai déjà dit par éléphone que j'estimais cet enfant (Gilbert) sérieusement perturbé et que, dans l'attente des résultats d'examens purement médicaux destinés à déterminer s'il est neuro-pathologiquement susceptible de quelque traitement chimique, j'estimais que la correspondance ne devait pas être remise au jeune Gilbert tant que je ne le jugerais pas capable de bénéficier de ce genre de stimulation. J'estime même qu'il ne faut pas l'informer de l'existence de ces lettres. J'ai jugé particulièrement intéressant ce qu'écrit la petite à propos des cauchemars que lui aurait donnés l'incident vécu avec le patient. Il n'est pas possible, vu son état actuel, d'exposer ce dernier à des révélations aussi pénibles pour sa sensibilité.

J'ai recopié tout ça sur le mur. Oh, pour copier, je sais copier, mon vieux. Mais j'y comprends rien. C'est des trop grands mots.

13

Après le concours d'orthographe il s'est mis à faire froid et j'ai été étonné. Je suis toujours étonné par les saisons. C'est parce que je suis un enfant et que tout me paraît plus long, à moi. Je pense que ce sera toujours l'été. Mais ce n'est jamais comme ça. (On a eu les saisons en sciences nat avec la mère Ackles, elle nous a dit que le soleil tape sur la terre de travers ou quelque chose comme ça, seulement j'ai mal compris et quand on a eu un contrôle elle m'a mis un X sur ma copie en face de la réponse à cette question-là. Un X ça veut dire qu'on a faux. Un B, ça veut dire qu'on a bon. La mère Ackles utilise un crayon de correction pour corriger nos copies. Les crayons de correction, c'est ce que je préfère comme fourniture scolaire avec les étiquettes gommées autocollantes renforcées, ils sont bleu d'un côté et rouge de l'autre. Comme les blousons réversibles. Et sans fermeture à glissière.)

Bientôt le temps est devenu glacial, dehors, et toutes les feuilles sont tombées et j'ai dû les ratisser, ce que je déteste pour ne rien vous cacher. C'est comme pelleter avec une pelle qui serait pleine de trous. Heureusement pour moi nous avons un arbre qui n'est qu'un bébé alors nous n'avons pas beaucoup de feuilles. (Notre vieux, on l'a coupé. Il était mort.)

Une semaine à peu près après le concours d'orthographe, Mlle Iris nous a dit qu'on allait faire une petite fête costumée pour Halloween. Seuls les enfants de l'orphelinat pourraient venir sans costume, pasqu'y z'étaient pauvres. Seulement Marty Polaski a dit qui z'avaient qu'à venir habillés en pauvres et Mlle Iris a ri et a dit quelque chose que j'ai pas bien compris sur un gamin gavé de brioche, ou gavroche, je sais plus bien.

Tout le monde devait aussi apporter quelque chose pour le buffet. Moi j'ai dit que j'apporterais des petits sablés pasque ma manman les faits et qu'y sont très épatants.

Des costumes, moi, j'arrête pas d'en porter, pas seulement pour Halloween. Ils sont parfaitement merveilleux comme vêtements, moi personnellement je trouve. Ma manman les fait pour moi. (Sauf le costume d'astronaute qui vient d'un magasin, elle l'avait acheté pour Jeffrey y a deux ans et puis il me l'a donné pasque l'année dernière qu'est-ce qu'il a grandi, houla !)

Mais mon plus beau costume c'est Superman.

Y a longtemps j'avais demandé pour un costume de Superman mais mon papa avait dit non que j'avais assez de costumes comme ça. Et puis un jour il était arrivé à la maison avec une boîte d'un magasin et il avait dit que c'était une surprise pour son fiston numéro 2 (ça c'est moi). J'ai ouvert la boîte et c'était un costume de Superman seulement quand je l'ai mis il me pendait de partout et puis il était brillant, pas comme un vrai. Alors je l'ai pas aimé pasque le vrai est serré serré et on voit ses muscles. (Y met les mains sur les hanches et les balles lui rebondissent dessus.) Mais mon papa a dit que j'avais qu'à le porter en tout cas maintenant qu'il l'avait acheté, alors j'ai fait la grande scène du II et j'ai jeté des livres dans l'escalier et j'ai été puni et envoyé dans ma chambre. Plus tard ma manman est venue et elle a dit qu'elle donnerait le costume de Superman à des enfants pauvres et qu'elle m'en ferait un vrai pour la fête de Halloween. J'ai dit :

— Tu le feras bien serré, hein ?

Le même soir, Jeffrey m'a fait un cadeau, c'était sa gourmette pasqu'il en avait eu une neuve pour son anniversaire. Elle est chouette, mon vieux.

Le lendemain matin, Shrubs est venu me chercher pour aller à l'école, comme tous les matins. Pendant que je mange mon petit déjeuner, il se glisse dans le salon et il vole des bonbons dans le truc en verre de ma manman. (On en a de toutes les sortes. Y en a même qu'éclatent quand on les suce que je les appelle des grenades.)

En allant à l'école ce matin-là, j'ai dit à Shrubs pour le costume de Superman et y m'a dit : « Super, vieux. » Et puis j'y ai fait voir la gourmette et il a dit : « Super, vieux. » Il a dit qu'il allait faire son costume de Halloween avec les boîtes en carton du magasin de meubles qui est en face dans la rue. Je lui ai demandé en quoi tu vas te déguiser et y m'a répondu en boîte en carton.

— Faut pas manger des bonbons avant l'école, j'y ai dit. (Il en mangeait.) Ma manman elle dit que ça donne des vers.

— C'est pas vrai ! qu'il a dit Shrubs. J'ai jamais arrêté d'en bouffer des bonbecs et j'ai jamais eu de vers. Les vers y bectent de la terre pas des bonbons.

A l'école tout le monde parlait du costume qu'il allait porter pour Halloween. Marilyn Kane a dit qu'elle viendrait en petite souris des dents (celle qui passe ramasser les dents de lait qu'on a perdues, sous l'oreiller). Elle ressemble à une dent, moi personnellement je trouve. Plus tard, comme métier, elle devrait faire carie, Marilyn Kane.

Pendant toute la récré j'ai pas arrêté de dessiner des Supermen. Je dessine toujours les choses que je veux. Je les dessine sans arrêt jusqu'à ce que je les aye. L'année dernière j'ai dessiné Bengali. C'est un tigre. Je l'avais vu à la télé. On dirait un vrai. Il rugit. Je l'ai demandé pour Hanoukah mais mon papa a dit qu'il coûtait trop cher et que de toute façon j'en aurais assez au bout de deux jours. J'ai dit : « Même si je le demande très, très gentiment, s'il te plaît mon petit papa ? » et il a dit : « On verra. » Ce qui veut dire non. Alors je m'ai mis à dessiner Bengali. Je le dessinais tout le temps. Je le dessinais et je le redessinais. Je le dessinais sur les journaux et dans les marges de mes illustrés. Et puis je l'ai eu, le premier soir de Hanoukah. C'était Bengali, mon vieux. Il était gros. Mais il avait des fils électriques qui lui sortaient. Et deux boutons, un pour avancer et l'autre pour rugir. Seulement le rugissement on aurait dit qu'y rotait, pas du tout un vrai rugissement comme à la télé, et aussi j'avais pas vu les fils à la télé, et aussi sa tête était différente du reste, elle était comme du plastique alors que le reste était en fourrure. J'en ai eu assez au bout de deux jours.

Je dessinais des Supermen. Enfin des costumes, pas la tête, mais je mettais quand même des muscles. J'en dessinais dans la salle de Mlle Iris où ma place est près de la fenêtre et que je regarde dehors et je fais semblant que Tarzan est dans l'arbre que je vois et que je le rejoins et qu'on se balance et puis qu'on jette le cri et qu'on sauve l'école quand elle est attaquée par des nègres de couleur en jupe d'herbes.

Je regardais pas la fenêtre quand j'ai entendu Mlle Iris gueuler. Elle était en train d'engueuler Pat Foder qui bavardait avec Francine Renaldo qu'est assise derrière elle en classe. Pat Foder a dans les quatre ans de plus que tout le monde pasqu'elle arrête pas de redoubler. C'est une affreuse. Elle a des cheveux on dirait une explosion seulement elle porte des jupes courtes avec des bas et ça me fait une sensation bizarre dans le bas du ventre. Elle bavarde toujours avec Francine Renaldo qui n'a redoublé que deux fois mais qu'est moche. Elle a un gros nez et des moustaches. (Mais une fois je suis allé au bureau porter un mot à la secrétaire rousse de la part de Mlle Verdon et Francine était sur le banc des punis et elle m'a parlé et elle était gentille.)

Mlle Iris a appelé mon nom.

— Gil, fais-moi le plaisir de prendre toutes tes affaires et de changer de place avec Mlle Renaldo. Peut-être qu'avec toi entre elles deux ces demoiselles papoteront un peu moins et n'empêcheront pas les autres de travailler.

Marty Polaski a dit :

— Y en a qui travaillent ici ?

Et Mlle Iris l'a regardé en chien de fusil.

J'ai changé de place.

Pat Foder elle se met du parfum. Je l'ai senti quand je m'ai assis et elle s'est retournée et elle m'a regardé et elle m'a fait un clin d'œil. Je m'ai senti tout drôle.

Et puis y a eu lecture. C'était une histoire qui s'appelait *le Chien rouge.* C'est tout à fait intéressant comme histoire moi personnellement je trouve. Ça raconte l'histoire d'un chien rouge, quoi.

Francine Renaldo m'a touché l'épaule.

— Fais passer, d'ac ? elle m'a dit.

C'était un mot pour Pat Foder.

Je l'ai fait passer. Normalement on a pas le droit mais je voulais pas avoir d'ennui en commençant à bavarder.

Et puis c'est Pat Foder qui m'a dit :

— Fais passer.

Mais j'ai dit non. Alors je me suis fait engueuler pour bavarder. Et puis plus tard elle me l'a de nouveau fait passer et elle m'a appelé « mon mignon », et elle m'a de nouveau fait un clin d'œil. Toute la journée j'ai passé des mots entre Pat Foder et Francine Renaldo. Y en avait un qui disait :

Je trouve que Bill Bastalini est jentil.

Alors j'ai corrigé l'orthographe avec mon crayon à correction. Alors Pat Foder s'est mise à me demander comment s'écrivaient des trucs et de nouveau je m'ai fait engueuler pasque je bavardais. Et puis y a eu la cloche du déjeuner.

Les élèves ont commencé à se mettre en rang. Pat Foder s'est retournée et elle m'a demandé de lui montrer ma gourmette. J'ai dit non.

— S'il te plaît, mon mignon ? elle a dit.

— Non, j'ai dit. Et arrête de me faire avoir des ennuis.

— Je te la rends tout de suite.

— Non.

Alors elle s'est mise à bavarder et elle m'a dit qu'elle s'arrêterait pas avant que je la lui fasse voir. Alors je la lui ai fait voir. Elle l'a mise à son poignet.

— Pourquoi qu'y a Jeffrey d'écrit dessus ? elle a demandé.

— Rends-la-moi.

Et puis ç'a été le tour de notre rangée de se mettre en rang. Elle s'est levée et elle est allée à la porte. J'ai essayé de reprendre ma gourmette mais elle a tiré dessus et elle l'a gardée. Dans les rangs elle l'a fait voir à tout le monde et elle a dit qu'on était ensemble et que Bill Bastalini le savait pas encore mais que quand il le saurait y me causerait du pays.

Je me suis fichu en rogne pour de vrai et je l'ai attrapée par le bras. Et puis Mlle Iris nous a vus.

— Qu'est-ce qui se passe là-bas ?

— Rien.

— Si, y m'a donné sa gourmette pour qu'on se mette ensemble, mademoiselle, a dit Pat Foder.

— Menteuse ! j'ai crié.

— Tiens, je croyais que t'étais avec Jessica Renton, a dit Marty Polaski. J't'ai vu l'embrasser au zoo.

Alors évidemment je lui ai donné un coup de poing et Mlle Iris a crié « ça suffit ! » et j'ai été gêné et puis tout le monde est allé déjeuner sauf nous, on a dû attendre et Mlle Iris m'a envoyé au bureau de la directrice.

J'ai été puni. J'ai dû rester après l'école sur le banc des punis. Shrubs y était aussi. Il doit toujours rester après l'école pasqu'il s'arrange toujours pour avoir des ennuis. (Une fois il a même eu des ennuis pour avoir écrit lui-même son mot d'excuse pour une absence : il avait écrit qu'il avait le cancer du poumon.) Cette fois c'était pour avoir mangé des bonbons pendant le cours de Mlle Crowley. Elle lui avait dit que c'était mal élevé de manger si on n'en avait pas assez pour en offrir à tout le monde. Alors

Shrubs avait ouvert son pupitre et il avait jeté trente bonbons en l'air en hurlant : « Bonne année tout le monde ! »

— Tu sors pour la nuit du diable, ce soir ? il m'a demandé.

(La nuit du diable c'est la veille de Halloween quand on sort pour passer les fenêtre au savon et tirer les sonnettes. On est censé être comme des espèces de petits lutins. C'est des délinquants juvéniles.)

— Je sais pas, j'ai dit.

Shrubs a dit :

— Ta matouse a donné à la mienne un bouquin qu'elle doit me lire. Ça s'appelle *la Petite Graine*.

— C'est sur comment naissent les bébés, je lui ai dit.

Shrubs m'a dit qu'il savait déjà. Il a dit :

— D'abord le papa va au centre commercial et puis il achète un ballon. Un petit ballon blanc. Il l'apporte à la maison et il l'enveloppe dans une feuille de papier d'argent pour pouvoir le mettre dans le congélateur. Pour plus tard. Un jour la maman se met en pyjama et elle se couche. Alors avant de se coucher le papa va chercher le ballon au réfrigérateur et il le lui montre et la maman est si contente qu'elle a un bébé.

Après l'école on a décidé de ratisser les feuilles. On serait une compagnie, la compagnie Shru-Gil, ratissage de feuilles. Et aussi on fabrique des choses. On construit des maisons qui sont des cartons dans lesquels on découpe des portes, et une fois aussi, on en a fait une en bois avec des sacs en plastique pour faire le toit. On a mangé dedans, des pommes de terre chips. Et aussi on publie un journal, le *Shru-Gil Soir*. Je l'écris moi-même avec du papier carbone. J'en fais cinq exemplaires. Mme Moss, qui habite à deux maisons de chez Shrubs, nous les achète tous les cinq. Et puis un jour Jeffrey s'en est mêlé. Il a décidé qu'il serait le directeur et moi le reporter et il m'a envoyé chercher des nouvelles. Alors je suis allé dans la rue Lauder et j'ai ramassé *les Nouvelles* devant toutes les portes. Vingt-six y en avait. Ma manman a dû tous les rapporter. Elle était furax.

Shrubs a un bon râteau. Il est en bois, pas comme le nôtre qui est en métal vert et fait *bong !* On a d'abord ratissé chez Shrubs, et on a fait des tas pour y mettre le feu, et puis on a ratissé chez moi. Ma manman nous a payé vingt-cinq *cents* et on est allé acheter des Malabars chez Nick. (Seulement ce n'est plus Nick, il est mort. C'est Steve, maintenant. Il est méchant. Il a pas voulu que Shrubs et moi on mange nos tartines de beurre de cacahuètes dans sa boutique la dernière fois qu'on était en fuite de chez nous.)

Après avoir ratissé, je suis rentré chez moi pour le dîner. Ma manman m'a dit de pas faire des traces de pied partout dans la salle de séjour. Puis elle a dit que c'était vraiment bien ratissé et que j'étais un grand garçon et puis elle m'a dit que pour me récompenser d'avoir été aussi gentil mon papa m'emmènerait faire un feu de joie après dîner et qu'on y ferait rôtir des mâchemoelleux de guimauve.

— Oh, non, manman, que j'ai dit, ce soir c'est la nuit du diable, pour tous les petits lutins !

Elle a dit :

— Oh, mon Dieu, mais c'est vrai, j'avais oublié !

Mais elle avait l'air de jouer la comédie.

Alors après le dîner Shrubs est passé me prendre et on est sorti. Y faisait noir. Les lumières de la rue étaient allumées. (Je les ai jamais vues s'allumer. D'un seul coup, elles sont allumées et c'est tout.)

On a tiré des sonnettes. T'arrives doucement doucement devant une porte et tu sonnes et tu t'en vas à toute vitesse et quand la personne dans la maison vient ouvrir la porte, y a personne. Ha ha.

J'ai sonné à une porte pendant que Shrubs regardait. On s'est enfui tous les deux. Puis on a sonné à une autre tous les deux ensemble. Et puis j'ai dit à Shrubs d'en faire une tout seul. Il a dit non, mais je l'ai obligé. Il l'a fait. Il est allé jusqu'à une porte. Il a sonné. Mais il s'est pas enfui. Il est resté devant la porte. Je lui ai dit de courir, mais il est resté là les mains dans les poches, figé sur place. La porte s'est ouverte et un monsieur est sorti. Il avait une cravate. Il a dit :

— Oui ? Qu'est-ce que c'est ?

Shrubs disait rien. Y restait là.

— Qu'est-ce que je peux faire pour toi ? a dit le monsieur.

Mais Shrubs le regardait sans rien dire. Le monsieur est resté une minute à regarder Shrubs.

— Qui es-tu ? il lui a demandé.

Shrubs a fait comme ça avec ses épaules.

— Tu es le petit livreur de journaux ?

Shrubs a dit :

— Chaipas.

Le monsieur est rentré. Il a refermé la porte. Shrubs restait là. Alors le monsieur a rouvert la porte et il a regardé Shrubs. Puis il a refermé la porte. Et puis Shrubs est parti.

J'ai demandé à Shrubs pourquoi il était pas parti en courant. Il m'a dit qu'il savait pas...

Manman a fait des sablés pour la fête de Halloween et les a mis dans une boîte à chaussures attachée avec une ficelle et elle a laissé le tout sur le comptoir jaune, dans la cuisine, pour que je l'y prenne en partant pour l'école. Ce soir-là, quand je me suis couché, le costume de Superman était sur l'autre lit dans ma chambre. Ma manman avait teint un caleçon long et y avait une cape et le S et tout ce qui faut. On aurait vraiment dit Superman. J'ai eu du mal à m'endormir.

Le lendemain matin je m'ai réveillé tout seul, ma manman est pas venue me réveiller. Je m'ai levé lavé, et j'ai mis mon costume de Superman. Je m'ai mis devant le miroir les mains sur les hanches et j'ai fait comme si les balles rebondissaient. Je m'ai préparé un petit déjeuner, jus d'orange et pain. J'ai pris la boîte à chaussures avec les sablés. Je suis parti. J'ai même pas mis de manteau, j'étais comme Superman.

Quand je suis arrivé à l'école y avait encore personne. Alors j'ai attendu la cloche en tenant ma boîte de sablés bien serrée pour pas la perdre. J'attendais, j'attendais. Y venait personne. J'attendais. Y faisait froid. Je tenais mes sablés. Toujours personne, je savais plus quoi faire.

Et puis la porte de l'école s'est ouverte et un monsieur est sorti. Y m'a regardé mais j'ai vu dans son dos qu'y avait des enfants dans la cour de l'école et je suis entré.

Je suis allé dans la salle de Mlle Iris mais c'était que des enfants que j'avais jamais vus, pas de ma classe. Ils me regardaient. Mlle Iris était pas là. Je suis resté près de son bureau avec mon costume de Superman et tout le monde riait en me regardant

Et puis Mlle Iris est entrée. Elle a dit :

— Mais Gil, qu'est-ce que tu fabriques ici ? La fête de Halloween c'était ce matin. Ta classe est à la bibliothèque à cette heure-ci.

Je suis allé à la bibliothèque et tout le monde me regardait pasque j'avais mon costume de Superman. J'avais rien apporté d'autre pour me changer. Quand je suis rentré chez nous, après l'école, ma manman m'a dit :

— Désolée mon chéri, excuse-moi. J'avais rendez-vous très tôt chez l'esthéticienne ce matin. J'avais mis un petit mot à Jeffrey pour qu'il te réveille en partant mais j'ai oublié de lui laisser. Je l'ai trouvé dans mon sac, au salon de beauté.

14

Je suis à la Résidence Home d'Enfants les Pâquerettes depuis trois semaines maintenant. Je n'ai pas reçu la visite de ma manman et de mon papa pasqu'ils n'en ont pas encore le droit. C'est le règlement ici. Le Dr Nevele dit que je ne suis pas encore adapté. Je n'arrive pas à me maîtriser. Je fais de grosses colères. Il dit que je suis un bon petit garçon qui fait malheureusement des choses méchantes de temps en temps. Comme ce que j'ai fait à Jessica.

Je suis ici tout seul. Je n'ai pas d'amis. Je connais pratiquement personne sauf Rudyard et Mme Cochrane. Pas un seul enfant. Une seule fois déjà j'ai été loin de chez nous (je compte pas les fois où je suis allé dormir chez Shrubs). Quand j'avais cinq ans, je suis allé en colo.

La colonie de vacances s'appelait le Petit Camp Arinaka pour les petits. C'était loin, loin de chez nous, on y est allé en voiture, ça a pris une heure. Pendant tout le chemin ma manman avait pas arrêté de me dire comme ce serait amusant, comme dans *Spin et Marty* du Club Mickey Mouse. Ils ont des chapeaux de cow-boy et ils font du cheval. (J'adore Spin et Marty, mon vieux, y sont chouettes, seulement je déteste Mickey pasqu'il parle comme une fille.)

Le Petit Camp Atinaka a duré une semaine. Y avait des cabanes. La nôtre c'était la cabane numéro un. On mangeait dans le Pavillon du Carquois qui était comme un réfectoire d'école sauf qu'on se mettait pas en rang. Et tous les jours, au déjeuner, on chantait une chanson :

C'est nous la numéro un,
Numéro un, numéro un,
C'est nous la numéro un,
C'est nous les meilleurs du lot.

Sauf que c'était vraiment pas vrai. On était minables en tout. Tous les matins, y en avait qu'avaient fait pipi au lit. Sauf moi. Je faisais jamais au lit.

La cabane numéro un avait deux monitrices. Laurie et Sherry. Elles avaient les cheveux très courts mais c'était des filles. Elles dormaient dans la cabane avec nous et elles nous voyaient quand on s'habillait et quand on se mettait en pyjama. Moi je m'habillais toujours sous les couvertures pasque j'étais gêné.

Un jour c'était la Ruée vers l'Or, une journée spéciale à la colo. Toute la journée tout le monde faisait semblant de chercher de l'or qui était des cailloux peints en jaune. Un des moniteurs s'était déguisé en Pete le Serpent et il se cachait dans les buissons et nous tirait dessus avec un revolver à farine. S'il vous touchait, fallait faire semblant d'être mort. J'avais la frousse de lui, malgré que je savais que c'était pas pour de vrai. Il me faisait peur. Et cette nuit-là je m'ai réveillé dans mon lit. Il faisait très froid et j'avais vraiment envie d'aller au cabinet. Mais j'avais trop peur. J'avais peur que Pete le Serpent soye dehors et y avait pas de cabinet dans la cabane numéro un. Fallait sortir et descendre la colline. Alors je m'étais retenu. Je m'étais retenu et retenu et puis j'avais plus pu me retenir et j'avais fait dans mon lit. J'avais recouvert avec les draps et la couverture, seulement c'était tout froid et tout trempé et ça avait traversé. J'avais dû passer la nuit là-dessus. Et le lendemain matin, quand tout le monde s'était réveillé, j'étais le seul à avoir fait dans mon lit. Laurie avait dit que la couverture était fichue et qu'elle devait la jeter. J'aurais voulu être mort.

Maintenant je suis à la Résidence Home d'Enfants les Pâquerettes et je suis encore tout seul. Je n'ai pas d'ami. Si seulement Shrubs pouvait être ici, ou même Marty Polaski. Des fois je reçois des lettres de mon papa et de ma manman. Aujourd'hui j'en ai même reçu une de Jeffrey.

Cher Gil,

Salut petite tête. Comment vas-tu ? Moi je vais très bien. Maman m'a dit qu'il fallait que je t'écrive une lettre alors je le fais. (Mais j'en ai pas envie.) (Je plaisante, ha ha.)

Hier à l'école, on a eu droit au test Iowa. Ça a pris toute la journée. Tu dois pas encore savoir ce que c'est puisque t'es qu'un bébé. C'est des tests pour déterminer ta capacité pour les études universitaires. C'est pas des questions avec des réponses normales, il faut cocher des cases au crayon à mine de plomb, A, B, C, ou D en face de la meilleure réponse. Le père Lloyd nous a expliqué comment tricher. T'as qu'à remplir toutes les cases pasque c'est corrigé par une machine. Seulement il a ajouté qu'on se ferait prendre. C'est vraiment un enfoiré. Toute façon j'ai pas besoin de tricher parce que je suis un élève exceptionnellement doué, figure-toi.

Maman m'a dit que je ne dois dire à personne où tu es. Tout le monde me le demande sans arrêt. Elle m'a dit de dire que tu es en visite chez des parents. Bruce Binder disait que tu étais en taule. Maintenant il va penser que nous avons des parents en prison !

Et d'ailleurs où es-tu au fait ? Le jour où maman et papa t'ont emmené, la mère de Jessica Renton a appelé ici une bonne centaine de fois. Mais je savais pas quoi dire. J'ai dit que tu étais en visite chez des parents.

En tout cas, depuis que t'es parti, j'ai pas mis une seule fois les pieds dans ta chambre, alors t'inquiète pas. Sophie dit que tu l'as laissée en bordel d'ailleurs, mais je l'ai vue hier à la cave, elle tenait la guitare avec laquelle tu faisais tes imitations d'Elvis et elle pleurait.

De temps en temps maman me demande si j'ai la moindre idée des raisons pour lesquelles t'as fait ça à Jessica Renton. Elle devient toute triste et je sais plus quoi lui dire. Elle dit : « C'est ton frère, tu le connais. » Et moi je lui dis : « Mais c'est ton fils, pas le mien. » Et aussi je me rappelle que quand on était petit, tu me battais tous les jours malgré que j'étais l'aîné. Pourquoi faisais-tu ça ?

Hier soir, papa m'a donné une baffe en pleine poire à table, parce que j'avais dit que les côtes de veau avaient goût de vomi. Maman a dit qu'il était d'une humeur massacrante. Il a quitté la table et il est pas revenu avant la fin du dîner. Tu te souviens, l'hiver dernier, quand il avait pas voulu manger avec nous pendant toute une semaine et que personne a jamais réussi à savoir pourquoi ?

Malgré que je peuve pas t'encaisser j'aimerais que tu te dépêches de rentrer à la maison, pour m'aider à sortir la poubelle et aussi parce que je n'ai personne avec qui chahuter le dimanche matin quand tout le monde dort.

Ton frère,

Monsieur Jeffrey Rembrandt.

Mais je n'ai toujours pas reçu de lettre de Jessica. Tous les jours je demande au Dr Nevele si elles sont arrivées et il ne répond rien.

Hier, le Dr Nevele m'a dit qu'il voulait que je voye des autres docteurs de la Résidence Home d'Enfants les Pâquerettes et que peut-être que si j'allais avec les autres enfants je me ferais des petits amis.

— Nous avons des tas de salles spéciales, ici, qu'il a dit. Des salles où on apprend à parler correctement, des salles où l'on peut exprimer ses sentiments à l'aide de jouets et de jeux, et des salles pour chanter, des salles pour jouer la comédie ou même pour faire de la gymnastique ou de la lutte.

Je lui ai dit que je voulais faire de la lutte pasque je pourrais faire semblant d'être Dick le Cogneur. Il est mauvais, mon vieux, mais quelle banane !

Et alors j'y suis allé.

D'abord on a pris le petit déjeuner. C'était des œufs mais y avait comme des morceaux de machin dedans. C'était une omelette. Je déteste ça. Et puis y avait du jus de tomate que je crois toujours que c'est du sang quand je le bois. Mais j'ai pas eu de transe. J'ai pas fait de scène. J'ai mangé et bu bien sagement. Et puis on y est allé.

D'abord en salle de musique. Tout le monde s'assied par terre et on se met à chanter *Elle descend de la montagne à cheval*. Et puis ils te font faire comme ci et comme ça avec tes mains et crier « Youkaïdi, Youkaïda ! » après avoir chanté. Je me sentais complètement idiot.

Ensuite on est allé dans la Salle de Thérapie Ludique, où je suis déjà allé une fois avec Rudyard. Cette fois j'ai joué dans la cuisine pour jouer qui est là. Elle a des réfrigérateurs en bois et un réchaud pour faire semblant. J'ai fait un bœuf Stroganoff. Ma manman en avait fait une fois. J'avais eu horreur de ça.

Ensuite on est allé en Salle d'Orthophonie. C'est pour les enfants qui parlent pas bien. Comme Manny qui peut pas dire « L ». Mais pendant tout le temps qu'on a été en orthophonie, quelqu'un dans le fond de la salle n'a pas arrêté de parler sans qu'ils arrivent à trouver qui c'était. C'était moi. Je parlais en faisant le ventriloque, comme j'ai appris dans un livre de la bibliothèque de mon école. Dans le livre j'avais aussi appris à me faire une poupée avec un simple sac en papier. C'était chouette. Et puis j'avais eu mon pantin, on me l'avait offert pour Hanoukah. Je l'avais baptisé Bixby, ce qui était idiot pasque c'est un nom qu'un ventriloque peut pas prononcer. Alors je l'avais tué. Je l'avais opéré dans le ventre pasqu'ils avait de la pleurodynie et tout son rembourrage était sorti et ma manman l'avait donné aux pauvres.

On est sorti d'Orthophonie. Et puis j'ai vu quelqu'un dans le vestibule et c'était le facteur, il portait un sac et apportait des lettres au bureau. J'ai couru jusqu'à lui et je lui ai demandé s'il y avait des lettres de Jessica pour moi. Il savait pas de quoi je voulais parler.

— Jessica Renton, j'ai dit, elle a dit qu'elle allait m'écrire.

Mais il m'a seulement regardé en disant :

— Ecoute, mon bonhomme, moi je m'en fiche un peu de qui écrit à qui. Je fais mon boulot alors fiche-moi la paix.

Et alors j'ai plus pu me retenir et j'ai hurlé :

— Donnez-moi des lettres, donnez-moi des lettres !

Et je lui ai donné des coups de pied dans les jambes et j'ai essayé de le taper. J'ai attrapé son sac et je le lui ai arraché et y s'est répandu partout par terre et j'ai sauté sur les lettres et j'ai commencé à les jeter au fur et à mesure en en cherchant une de Jessica. Et puis il a essayé de m'attraper et je l'ai mordu. Tout le monde est sorti du bureau et le Dr Nevele m'a attrapé et m'a tordu les bras dans le dos et m'a entraîné vers la Salle de Repos pendant que je continuais à crier qu'on me donne mes lettres, mes lettres, mes lettres.

Il m'a traîné dans la Salle de Repos, il y a tiré une chaise du vestibule, y m'a mis sur la chaise, il a enlevé sa ceinture il l'a passée autour de moi, il l'a serrée serrée et il a fermé la boucle. Il a même pas dit quelque chose, rien.

Je suis resté assis tout seul. J'ai pas enlevé la ceinture. Je savais que j'étais pas capable de me maîtriser, ma crise. Je suis resté assis longtemps, longtemps. Et puis j'ai enlevé la ceinture et je suis revenu vraiment comme un bon petit citoyen jusqu'au bureau du Dr Nevele.

— Pardon, je lui ai dit.

Et j'y ai rendu sa ceinture. Y m'a regardé d'un air drôle, comme s'il était gêné pour quelque chose, et puis il a pris sa ceinture et y m'a dit d'accord que ça allait. Je lui ai dit :

— C'est seulement que je voulais mes lettres, elle m'avait dit qu'elle m'écrirait.

Le Dr Nevele est devenu tout rouge quand j'ai dit ça. Je sais pas pourquoi. Mais il a seulement fait oui de la tête et je suis parti.

Je suis retourné dans mon aile. Je m'ai allongé sur mon lit. J'y suis resté jusqu'à ce qui fasse noir. Je regardais le plafond qui est plein de petits trous, comme celui de l'école. J'ai sauté le dîner. Et puis j'ai fait un truc. J'ai été jusqu'à la fenêtre, j'ai mis mes mains l'une contre l'autre en regardant dehors et j'ai dit :

Petite étoile au firmament
Première étoile du soir
Petite étoile au ciel brillant
Exauce un vœu pour moi ce soir.

Et alors j'ai souhaité que Jessica m'écrive, oh s'il te laît, pour que je sache si elle allait bien et si elle se souvenait de moi.

Et je suis retourné à mon lit et je m'ai allongé. J'ai mis ma tête dans l'oreiller. Y avait pas d'étoiles dehors, y avait des nuages. Et il faisait noir dans mon ile. Et j'étais tout seul. J'ai entendu le tonnerre, il a commencé à pleuvoir.

Quand j'ai ouvert mes yeux y avait quelqu'un d'assis près de moi en train de fumer une cigarette. J'ai vu le bout de feu dans le noir. J'avais peur.

— Y a quelqu'un ? j'ai demandé.

— Pardon, je t'ai réveillé ?

C'était Rudyard, il a soufflé de la fumée.

— Non, j'ai dit.

— Où est tout le monde ?

— Aux Activités Spéciales, j'ai dit, y a un film.

— Ah, ouais...

Rudyard était assis sur le lit à côté du mien. Mes yeux se sont habitués au noir et j'ai pu le voir. Il était penché comme s'il était triste ou quelque chose comme ça.

Je l'ai bien regardé. Il ne disait rien. Il s'est levé et il a fait le tour de la pièce. Il regardait les choses dans le noir. Et puis il est allé à la fenêtre regarder dehors, et la lumière du parc à voitures lui venait de derrière et je l'ai vu tout noir. Comme un dessin découpé dans du papier noir.

— Tu pourrais faire un vœu sur une étoile, Rudyard, je lui ai dit. Tu peux commander des trucs.

— Y a pas la moindre étoile.

Il pleuvait.

— Je sais.

Mais il est resté à regarder quand même. Et puis s'est mis à parler. Il parlait tout seul, il se parlait lui-même.

— Il y a seize ans, je rentrais chez moi, depuis l petite épicerie de la rue, derrière ma maison. J'avai l'habitude d'aller à l'épicerie rien que pour regarde J'avais seulement, je sais pas, quinze *cents*, peut-êtr mais je faisais mes courses toute la journée, j cherchais à me décider pour ce qu'on peut vraimen acheter de mieux pour quinze *cents*. Quand je finis sais par me décider et par l'acheter, j'étais vrai ment content, après tout le mal que je m'étai donné.

« Ce jour-là j'ai remarqué à l'épicerie un nouvea présentoir publicitaire, pour des biscuits, c'étai Ceux qui sont au chocolat d'un côté et au sablé d l'autre. Je les détestais, à vrai dire, mais ils étaien bien pour tremper. Y se ramollissaient juste comme i faut sans tomber en mille morceaux. Le présentoi avait la photo d'un petit garçon qui sautait. S silhouette était découpée dans du carton.

« Ce jour-là j'ai décidé d'acheter un bloc de savo de Marseille qui me durerait plus longtemps que de bonbons. Je comptais le sculpter au couteau e arrivant à la maison. Mais sur le chemin du retour, l tempête a commencé, un vent terrible et une fort averse. J'ai eu beau courir, l'orage m'a rejoint. J'avai rudement peur. Je me suis réfugié sous un arbre, a milieu des buissons, derrière l'épicerie, pour m protéger de l'averse. Et puis j'ai remarqué que quel qu'un avait jeté un de ces présentoirs, l'avait jet dans la rue. Le petit garçon de carton s'était détach du reste. Et le vent l'avait emporté contre les buis sons. Ses bras et ses jambes se tordaient et s'agitaient frénétiquement, comme s'il avait une crise de nerfs.

« J'ai fini par rentrer à la maison. J'ai couru en fermant les yeux. En chemin, j'ai laissé tomber le savon. Mais aujourd'hui encore, quand je me promène parfois, et que je regarde derrière moi, j'ai l'impression de voir encore ce petit garçon de carton piquer sa crise de nerfs dans les buissons. C'est à ça que la nuit me fait penser...

Il s'est rassis sur le lit près du mien. Je regardais le bout de sa cigarette. Il n'a rien dit pendant longtemps. Et puis :

— Je crois qu'on va mè flanquer à la porte, Gil. Le conseil d'administration m'a demandé de m'en aller.

15

Après l'exercice d'alerte aérienne, il ne restait plus qu'une semaine avant les vacances de Thanksgiving. J'étais impatient. J'adore Thanksgiving. C'est des vacances mais y a pas de prière et on peut manger comme un fou. Je mange beaucoup pour mon âge. Je mange, je mange sans arrêt. Je mange plus que n'importe qui sauf Shrubs. Mon papa dit : « Il faut savoir s'arrêter, Gil. Les meilleures choses ont une fin. »

Le lendemain de l'exercice d'alerte aérienne on a eu les élections pour le chef du distributeur d'eau fraîche. Boddy Cohen, que je connais tout juste, m'a proposé et j'ai été étonné. On baisse la tête et il faut voter à main levée sans regarder pour pas être influencé. Faut pas tricher. J'ai voté pour Ruth Arnold pasque c'est égoïste de voter pour soi-même mais Mlle Iris a dit qu'on devrait, que c'est une preuve de confiance en soi, mais je trouve que c'est mal élevé.

J'ai été élu. J'étais le chef du distributeur d'eau fraîche de notre classe. A chaque récré, c'est moi qui devais me mettre devant le distributeur d'eau fraîche et tenir la poignée baissée en comptant jusqu'à trente pour chaque élève, avant de lui taper sur l'épaule pour qu'y laisse la place au suivant. (Je triche un peu pour Shrubs, quand même. Et Marty Polaski a dit que si Jessica serait dans notre classe je lui laisserais boire toute la flotte et tout le monde mourrait de soif. Alors je lui ai donné un coup de poing, évidemment.)

Les vacances de Thanksgiving sont enfin arrivées. Ce jour-là, après l'école, j'ai vu Jessica sortir par la porte de la rue Marlowe mais elle ne m'a rien dit, alors je lui ai rien dit non plus. Je l'ai regardée descendre la rue Marlowe. Et puis tout d'un coup elle s'est retournée et elle m'a fait un signe. Alors je lui ai fait un signe aussi. On s'est fait des signes. J'ai souri. Et elle est venue vers moi. Et je faisais des signes, et je souriais, et puis je refaisais des signes et je ressouriais, mais elle c'était à Marilyn Kane qui était derrière moi qu'elle faisait des signes et qu'elle souriait. Je me suis retrouvé idiot et gêné. J'ai fait comme ça comme pour partir mais alors elle m'a dit :

— Faut surtout pas te croire obligé de dire salut ni rien, Gil !

Je m'ai retourné et j'ai dit :

— D'accord, je dis rien.

Et je suis parti.

Cette nuit-là, j'ai fabriqué un pantin. Je l'ai fait avec des morceaux de bois que mon papa avait dans la cave. Ses bras c'était des petits morceaux et le reste des morceaux plus gros. Il avait des bobines pour coudes, elles tournaient, et sa tête était une boule en plastique pour fabriquer des décors d'arbre de Noël C'est Shrubs qui me l'avait donnée l'année dernière. Je l'ai peint couleur de peau avec des ronds rouges pour les joues. J'ai pris du foin pour ses cheveux et je lui ai cousu un petit costume avec une culotte rouge et une chemise blanche fabriquées avec des chiffons.

Je lui ai peint des chaussures aux pieds. Ça m'a pris toute la nuit presque. Mon papa est redescendu voir mais y m'a laissé pasque le lendemain j'avais pas école.

Je l'ai appelé Jerry le Pantin. Quand il a été sec, je l'ai emmené avec moi à l'étage au-dessus, dans la cuisine. Il faisait noir, ma manman et mon papa étaient couchés. J'ai plié un torchon et l'ai posé sur le comptoir jaune pour lui faire un lit et puis j'ai plié une lavette pour faire un oreiller à Jerry le Pantin. Et puis je suis monté me coucher mais j'ai pensé à un truc et je suis redescendu. J'ai pris un autre torchon et je lui ai fait un pougnougnou pour qu'il aye pas froid. Et puis je l'ai embrassé.

— Bonne nuit, Jerry le Pantin, j'ai dit. Je suis heureux de t'avoir fabriqué.

Mais le lendemain matin je m'ai réveillé très très tôt pasque c'était Thanksgiving et que je voulais regarder le défilé à la télé. Je suis descendu et j'ai mis Oral Roberts. (J'aime bien le regarder, il gueule.) J'avais mes pantoufles à tête de chien.

Jeffrey est descendu. Je lui ai demandé s'il voulait jouer aux trois Stooges avec moi. J'y joue souvent avec Shrubs. Lui c'est Curly. Moi c'est Moe. Je lui flanque des volées. Curly (le frisé) c'est mon préféré, il est chauve. Y fait comme ça avec ses doigts, je sais le faire. Des fois il est absent et alors c'est Shemp qui le remplace. Shemp ressemble à Moe mais il est encore plus moche. Parfois je suis lui. Mais personne fait jamais Larry. Larry, y a jamais personne qui veut le faire.

Jeffrey voulait pas jouer. Et puis y a eu le défilé à la télé. C'était super. Y avait des chars décorés. Celui que j'ai préféré c'était celui où y avait Bullwinkle l'Elan. C'est un élan, un héros de dessin animé. Quand je l'ai vu, j'ai fait : « Salut, Bullwinkle ! » Et y m'a fait un signe.

Et puis manman et papa se sont levés, ils étaient en robe de chambre et on a mangé le petit déjeuner au salon pour pouvoir regarder le défilé. On a mangé des crêpes et bu du café de petit garçon, qui est du café avec surtout du lait et du sucre pour les enfants. (J'ai donné des crêpes à Jerry le Pantin mais il avait pas faim.) Et puis manman a commencé à faire la cuisine pour le repas de Thanksgiving.

On a des invités pour Thanksgiving, c'est des oncles, des tantes et des cousins du côté de ma manman. Mon papa a un côté aussi, mais c'est pas pour Thanksgiving, c'est pour Pâques. On va chez Bubbie. C'est ma grand-mère. Elle s'appelle Bubbie. Elle est très vieille et parle juif, alors je comprends pas, sauf que des fois elle parle anglais et je comprends pas non plus. Elle devrait avoir des sous-titres, moi personnellement je trouve. Elle m'appelle Bébé Cocker pasqu'un jour je suis allé chez elle avec mon costume de Davy Crockett. J'ai pas de Pépé du côté de mon papa. Il est décédé que je l'ai même jamais vu sauf en photo. Y ressemble à mon papa seulement marron à cause de la photo. Du côté de ma manman, j'ai un grand-père. On l'appelle Grand-Papa. C'est Grand-Papa du côté de ma manman et Pépé du côté de mon papa, sauf que Grand-Papa est pas mort. Seulement j'ai pas de Bubbie du côté de ma manman. Elle est morte. Elle s'appelait Bonne-Maman. C'est très compliqué, je m'y perds. Je trouve que Grand-Papa devrait se marier avec Bubbie. Ils pourraient aller au restaurant, ils se parleraient juif tous les deux.

Pour Thanksgiving ma manman avait fait de la dinde. Elle a aussi fait de la farce que je l'ai aidée à faire, j'ai émietté du pain grillé. Et elle a aussi fait des gâteaux de patate douce, qui sont des patates douces seulement en gâteau, avec une cerise dessus que je n'aime pas alors je les donne à Jeffrey qui les donne à Cleo notre chienne qui les mange et qui vomit. C'est comme ça que nous fêtons Thanksgiving.

Après le petit déjeuner, mon papa il a dit :

— Dites donc les gars, ça vous dirait d'aller voir le Père Noël aujourd'hui ?

J'ai dit :

— Non, merci.

— Pourquoi ? a fait mon papa.

— Pasqu'on est juif, j'ai dit. C'est pas bien.

— Allez, habille-toi Gil, il a dit mon papa, t'en fais pas pour ça.

Mais j'ai croisé les bras et j'ai boudé, je voulais pas. Alors papa est venu et y m'a dit :

— Gil, le Père Noël est de toutes les religions, il est pour tout le monde. Allez, dépêche-toi, on sera en retard.

J'ai dit :

— Alors il est juif ?

— Ouais, il a dit papa, il est juif, ça va ? Alors en route !

Et on y est allé.

Le Père Noël était à la Rotonde Ford. C'est un grand bâtiment qui est tout rond. Et très loin. Y a des voitures dedans. J'ai demandé à mon papa comment le Père Noël faisait pour s'y retrouver si vite alors que je venais de le voir à la télé, dans le défilé, à l'autre bout de la ville. Et y m'a dit qu'il prenait un hélicoptère.

A la Rotonde Ford y avait la Forêt Magique du Père Noël. C'était des lumières et des arbres avec plein de couleurs, on se promène entre les arbres et y a des elfes qui sont des statues qui bougent comme de vrais elfes. Et puis aussi y avait un endroit où on pouvait voir les rennes et même les caresser. J'ai pas réussi à voir la partie qu'y z'ont pour voler. Je pense que ça doit leur rentrer plus ou moins. Y en avait un je lui ai donné une cacahuète. Il était marron.

Et puis on est allé voir le Père Noël. Il était tout au bout. Y avait une grande queue. Elle faisait des tours et des tours, on pouvait même pas l'apercevoir, le Père Noël. On a attendu, attendu, attendu. Et puis on est arrivé. Jeffrey y est allé le premier et lui a dit :

— Je voudrais que tu m'achètes un modèle réduit de Thunderbird comme y en a chez Maxwell, d'ac ?

Et le Père Noël a fait :

— Ho ho.

(Le Père Noël il est faux-jeton, moi personnellement je trouve, pasqu'il arrête pas de se marrer alors que je vois pas ce qu'il y a de si drôle pour ne rien vous cacher.)

Et puis Jeffrey a dit :

— Je voudrais aussi un pantalon et une chemise de cow-boy avec des bottes et des vrais éperons.

Et le Père Noël a fait « Ho ho », et Jeffrey est redescendu.

J'ai voulu m'en aller, mais papa m'a tiré par la main et m'a fait revenir. J'ai dit :

— Non, j'ai quelque chose à faire.

Mais il a dit d'y aller. Alors je m'ai assis sur le Père Noël. Il était chaud.

— Tu connais Kipour ? je lui ai demandé.

— Qui ça ?

— Kipour, Yom Kipour.

Il a encore fait « Ho, ho ! »

— T'es juif ? je lui ai demandé ?

Le Père Noël a rien dit.

— Eh ben, alors ? J'ai insisté.

Et alors il a dit :

— Bah, heu, je ne sais pas, oui, j'imagine. Le Père Noël c'est toutes les religions. Oui, probablement, je suis juif.

Tous les parents se sont mis à reprendre leurs enfants qui attendaient dans la queue. Ils avaient tous entendu. Le Père Noël a dit : « Mais non, c'est pas ce que je voulais dire. » Mais bientôt il est plus resté personne. Mon papa m'a attrapé par le bras et on est parti.

Y faisait chaud pour Thanksgiving, y neigeait même pas, et quand on est arrivé à la maison il pleuvait. Ma manman était encore en train de préparer le dîner, ça sentait un arôme et mon papa a lu le journal et Jeffrey a regardé un magazine.

J'ai dit :

— Manman, comment ça se fait qu'y a pas Jessica dans l'annuaire ?

— Qui ça, mon chéri ?

— Jessica, une copine.

— Il n'y a que le nom des papas à l'annuaire, mon chéri, le nom de famille.

Alors j'ai cherché Renton, c'était comme un dictionnaire, je savais m'en servir et y avait qu'un seul Renton dans la rue Marlowe.

J'ai la frousse des téléphones pasqu'un jour l'opératrice s'était branchée tout d'un coup et m'avait engueulé pasque je mettais trop longtemps à composer un numéro, mais là j'ai fait quand même le numéro. Pasque je voulais dire à Jessica que le Père Noël était juif.

Ça a sonné. Et puis ça s'est arrêté. Et puis ça a sonné et ça s'est arrêté.

Une fille a répondu, elle a dit :

— Allô ?

— Allô, Jessica ? j'ai dit.

J'étais rudement nerveux, mon vieux.

— C'est Gil, de l'école.

Mais sa voix avait quelque chose, elle était pas normale, on n'aurait pas dit Jessica, et j'ai déduit qu'elle pleurait.

— Oh, Gil, qu'elle m'a dit. Mon papa est mort.

16

La pluie dit comme un bruit : *chchhh.* On peut l'entendre quand elle descend. C'est Dieu qui nous dit de pas faire de bruit.

Après-midi de Thanksgiving je m'ai agenouillé sur le canapé de la salle de séjour de notre maison et j'ai regardé par la fenêtre les Goldberg de la maison d'en face qui sortaient de chez eux avec des journaux sur la tête et montaient dans leur voiture. Ils étaient tous en habit du dimanche. Ils riaient. Mais le moteur de leur voiture pleurait, lui, et il en est sorti de la fumée, et j'ai pensé : ils vont à des funérailles, qui sont une fête mais sans cadeaux.

Depuis la salle de séjour je pouvais sentir l'odeur de la cuisine où manman préparait le dîner. La table de la salle à manger avait la belle nappe et les belles assiettes du buffet à vaisselle que j'ai pas le droit de toucher. Y avait aussi les beaux verres et l'argenterie avec des fleurs au bout du manche et des serviettes en tissu pas en papier, qui avaient l'air de petits bébés nappes.

Je regardais par la fenêtre dans la rue. La pluie tombait comme des petites torpilles sur les voitures et faisait des éclaboussures comme un brouillard tout autour des carrosseries. Elle traçait des lignes sur les carreaux comme un peintre à la peinture transparente. Du bout du doigt j'ai suivi deux gouttes qui dégoulinaient à toute vitesse. J'ai posé mon nez contre la vitre et j'ai fait des lunettes de vapeur en respirant. Et puis j'ai fait des empreintes de Martiens. C'est avec le doigt, on fait comme si plein de petits pieds de Martiens avaient laissé des traces sur les carreaux, en essayant de sortir.

Je suis allé dans le placard de l'entrée. J'ai pris mon ciré et mes bottes de pluie et je les ai enfilés.

Mon ciré est jaune, il est comme en peau de banane à l'extérieur. Il a du tissu à l'intérieur avec des voiliers dessus. Il y a un chapeau aussi, avec juste un trou pour ma figure. Les manches de mon ciré sont trop longues. Mais ma manman dit que je grandirai dedans. Elles me pendent au-dessus des mains.

Mes bottes sont en caoutchouc avec des dessins comme des pneus dessous pour que je tombe pas. Elles ont une fermeture à boucle à ressort qui fait beaucoup de bruit et que je sais pas bien fermer pasque je suis petit.

A l'intérieur de mon ciré j'avais quelqu'un avec moi, il avait une culotte rouge et du foin à la place des cheveux. Jerry le Pantin. Je l'avais avec moi.

A l'intérieur du placard de l'entrée y avait aussi le blouson à mon papa. Je l'avais mis pour aller voir le père Noël et y avait aussi quelqu'un dedans. Dans une poche. C'était Câlinot le Singe que j'avais emmené voir le Père Noël. Il m'a dit que Jessica était très triste mais qu'y pouvait pas y aller pasqu'il était dans la poche à mon papa en train de préparer le dîner.

J'ai ouvert la porte d'entrée et je suis parti.

La pluie donnait des coups sur mon chapeau de pluie qu'on aurait dit des tambours mais ma manman elle dit que la pluie c'est des fées qui dansent sur le toit, et des fois je fais un truc quand personne me regarde, j'ouvre la fenêtre et je pose une serviette sur le rebord de la fenêtre et je dis : « Vous pouvez venir les fées, je vais éteindre la lumière, comme ça personne vous verra. »

Le trottoir de la rue Lauder est fait de carrés de ciment avec comme du remplissage entre. Le trottoir fait toute la rue comme ça et puis il tourne à gauche. Je l'ai suivi. J'allais quelque part. J'ai tourné dans la rue Clarita et j'ai regardé les maisons. A l'intérieur je voyais des gens qui regardaient la télévision et y en avait qui avaient mis des décorations à leur fenêtre avec des guirlandes de métal tout autour et puis y avait une fenêtre d'une maison oùsqu'il y avait une scène construite dans une boîte à chaussures, comme j'en fabrique à l'école des fois. Celle-là avait du foin et des chameaux et des moutons et un bébé dedans avec une espèce d'éventail en or autour de la tête. (Une fois j'avais fait une scène comme ça dans une boîte à chaussures pour gagner des points en histoire. Je voulais avoir 8 ou 9/10 pour que ma manman elle soye pas déçue. C'était Benjamin Franklin. Je l'avais découpé dans une *Encyclopédie hebdomadaire* et j'avais replié ses pieds pour qu'y tienne debout. J'avais appelé la scène : « Benjamin Franklin se lève. » J'ai quand même eu 5/10 seulement.)

J'ai tourné dans la rue Marlowe. Les arbres y font d'habitude comme un tunnel, ils se touchent presque, mais là ils étaient chauves. On aurait dit qu'ils se serraient la main par-dessus la rue mais qu'y z'arrivaient pas à s'atteindre pasque le père de Jessica était mort.

Et puis je suis arrivé à la maison de Jessica, avec

ses volets bleus. Je m'ai arrêté devant. Je suis resté à regarder. La porte d'entrée était ouverte. Y avait une allée qui y conduisait, comme celle que nous avons chez nous, et y avait un R au-dessus de la porte comme celui que nous avons. Exactement pareil. Je suis resté devant la maison, sur le trottoir, dans mon ciré, et j'ai observé.

L'allée était pleine de voitures qui avaient des plaques d'immatriculation oùsqu'y avait d'écrit « Michigan, Merveille des Eaux. »

La maison de Jessica avait un lampadaire sur la pelouse, on aurait dit un petit réverbère. On les voit jamais s'allumer les réverbères. A un moment y sont allumés et c'est tout. Le petit réverbère de la pelouse de la maison de Jessica était allumé. Je suis resté à le regarder.

Un chien est venu près de moi. Il était mouillé. Il était beige. Il était sorti des buissons de la maison d'à côté et il était allé sur la pelouse de Jessica renifler ses buissons et puis entrer dedans et faire sa crotte. Et puis il était venu me voir. Y s'est assis juste à côté de moi et il a regardé la maison de Jessica. On l'a regardée ensemble. Et puis il est parti.

La maison de Jessica a des stores, on aurait dit des paupières et la pluie dégoulinait dessus et j'ai pensé : sa maison pleure aussi. Mais je suis resté où j'étais, sans bouger, des fois qu'elle aurait eu besoin de moi.

La porte d'entrée s'est ouverte. Un monsieur et une dame sont sortis. Ils avaient un gros parapluie. Ils avaient des chapeaux. Ils avaient des habits noirs pasque c'était des funérailles. Jeffrey m'a dit qu'on s'habille en noir pour que ce soye sombre et que la personne morte se réveille pas. Le monsieur et la dame ont pris l'allée centrale. Ils m'ont presque bousculé. Ils sont montés dans la dernière des voitures garées dans l'allée et ils ont démarré. Et puis ils ont baissé la fenêtre et ils ont dit :

— Tu as besoin de quelque chose, petit ? On peut t'aider ?

— Non, je ne fais que regarder un peu, j'ai dit.

Je les ai regardés s'éloigner en direction de Seven Mile Road où y avait beaucoup de circulation, on voyait la vapeur que projetaient les voitures dans la pluie et le bruit. Je n'ai pas la permission de traverser Seven Mile tout seul. Y a trop de circulation. Elle a des lignes de peintes dessus et pas de maisons mais seulement des magasins.

J'attendais devant la maison de Jessica. Je regardais par le trou de mon chapeau de pluie. La porte d'entrée de la maison d'à côté s'est ouverte et deux enfants en sont sortis. C'était Roger et Joey Lester, je les connaissais de l'école, ce sont des jumeaux qui se ressemblent pas. Y m'ont regardé mais ils savaient pas que c'était moi à cause du chapeau de pluie. J'ai rien dit. Ils ont descendu la rue Marlowe. Je savais pas qu'ils habitaient là, mais des fois Shrubs jouait avec eux. Il disait qu'y sont pauvres. Y z'ont pas de jouets alors y jouent avec leurs chaussettes.

La maison de Jessica elle a un arbre devant. Un singe en a sauté et il a atterri sur mon épaule et y m'a dit en singe qu'il y avait des indigènes dans Seven Mile Road qui allaient venir tuer Jessica, alors j'ai mis ma main comme ça autour de ma bouche et j'ai lancé le cri et tous les éléphants sont venus et leur ont fait peur et ils sont partis. Le singe m'a dit merci et puis s'en est allé.

Manman dit qu'y pleut quand le Bon Dieu arrange son robinet. Elle dit qu'y voit tout alors que j'ai ntérêt à être sage. Je lui ai demandé si Dieu sait comment Milky le Clown fait ses tours de magie dans son émission à la télé. (Des fois je lui fais un signe, à Dieu. Il me voit. C'est mon copain pasqu'une fois j'ai prié pour que les Tigres gagnent un match et y z'ont gagné.)

J'étais devant chez Jessica. J'ai reniflé mon cire, il sentait une odeur comme une tente quand il pleut. (Je suis allé dans une tente une fois, à Northland, au Vieux Campeur, y en avait d'exposées et je suis entré. C'était comme si j'avais dormi dehors. Ça sentait une odeur.)

Et puis une camionnette s'est arrêtée devant chez Jessica. Elle était bleue. Elle disait « Paul — Traiteur » sur le côté, on lui avait peint ça. Un monsieur en est sorti il a fait le tour et il a ouvert une porte à l'arrière et il en a sorti un très grand plateau avec des choses à manger dessus. Il a monté les marches du perron et il est entré chez Jessica. Je regardais la camionnette. Je pensais : Je peux voler la camionnette et arracher Jessica aux griffes de ses ennemis et la conduire en Floride, mais le monsieur est revenu. Y m'a vu.

— Dis donc, petit, tu t'es perdu ?

Je lui ai pas dit de réponse.

— Où est ta manman ? Y faut pas rester sous la flotte comme ça. Tu vas attraper la creve, petit.

— Faut pas dire la crève, je lui ai dit.

Mais y m'a pas entendu, il était déjà reparti.

J'ai regardé toutes les fenêtres de la maison de Jessica. Je m'ai dit que peut-être elle me voyait, peut-être elle était en train de me regarder, mais je la voyais pas, mais elle y était peut-être quand même

pasqu'elles étaient toutes pleines de buée. Et puis d
toute manière je suis resté.

Roger et Joey Lester sont revenus, ils portaient u
sac, je déduis qu'ils étaient allés faire des courses. Il
m'ont de nouveau regardé et je leur ai fait comme ç
avec la main seulement y m'ont pas répondu. Y son
rentrés chez eux et y z'ont refermé la porte.

Le vent faisait faire comme des cercles à la plui
dans la rue, sur la chaussée, et il soufflait dans mo
chapeau pendant que je regardais par le trou. Un
branche est tombée d'un arbre derrière moi. U
écureuil a couru dans un arbre. Une voiture es
passée. Une porte a claqué quelque part, plus loin. L
vent a fait passer une feuille de journal près de moi
Une voix a crié quelque chose. Un avion a traversé l
ciel. Dans Seven Mile Road y a bien failli y avoir u
accident. Y se mettait à faire noir. Presque la nuit. J
restais devant la maison de Jessica. Je restais à
observer.

Un monsieur est entré chez elle avec des fleurs. Un
vieille dame en est sortie avec du plastique sur sa tête
pour garder ses cheveux secs. Une autre dame a
ouvert la porte d'entrée et m'a regardé mais elle a
seulement secoué la tête comme ça et elle est rentrée

Et puis il a fait noir. J'ai vu que les réverbère
étaient allumés mais je les avais pas vus s'allumer. J'a
pris Jerry le Pantin et j'ai marché sur la pelouse d
Jessica jusqu'au petit réverbère dans l'herbe. Je l'a
posé au pied du réverbère, et puis j'ai enlevé mo
chapeau de pluie et je l'ai mis au-dessus de lui comm
une petite tente pour Jerry le Pantin.

J'ai regardé encore une fois sa maison et puis je sui
parti chez moi, il pleuvait encore et j'avais plus mo
chapeau de pluie mais je m'en fichais. Je pensais à

autre chose peut-être bien. J'avais mon ciré. Les manches me pendaient sur les mains.

Quand je suis arrivé chez nous, ma manman était très en colère.

— Qui t'a permis de sortir d'ici, hein ? Tu pars sans demander la permission à personne, maintenant ! Tu nous a fait faire un sang d'encre. Et le dîner est froid, on t'a attendu, tu as vu l'heure ? Et d'ailleurs où étais-tu ?

J'ai enlevé mon ciré et je l'ai pendu bien proprement dans le placard de l'entrée. J'ai enlevé mes bottes de pluie. (Mes chaussures sont restées coincées à l'intérieur comme toujours et j'ai dû les en retirer séparément.) J'ai rangé mes bottes.

Y avait plein de monde dans ma maison. Y avait du bruit et de la fumée de cigare de mes oncles.

J'ai monté l'escalier pour aller dans ma chambre. J'ai fermé la porte. Je m'ai allongé sur mon lit. J'ai regardé par la fenêtre.

Je m'ai levé. Je m'ai assis sur l'autre lit. Je m'ai encore levé. J'ai été m'asseoir à mon bureau. Je m'ai encore levé. J'ai été jusqu'à mon placard. J'ai ouvert la porte. Je suis entré dans mon placard et j'ai refermé la porte.

17

Le lundi matin après les vacances de Thanksgiving, je m'ai réveillé et tout était différent. Dehors il pleuvait des cornes, j'ai regardé l'averse et j'ai pensé : Maintenant plus rien n'est pareil. J'ai regardé ma lampe avec des cow-boys sur l'abat-jour. Un des cow-boys jouait de l'harmonica.

Ma manman est venue dans ma chambre pendant que je mettais mon pantalon et elle a vu mon zizi et j'ai hurlé. Elle a dit :

— Mon Dieu, je suis ta mère, tout de même !

Et j'ai dit non (pasque je crois que je suis adopté).

Mais elle a fait le petit déjeuner comme toujours et elle a fait beaucoup de bruit en avalant comme toujours et puis Shrubs est passé me prendre et pendant que je mettais mon manteau il est allé au salon et il a volé des bonbons dans le truc en verre.

C'était comme si j'étais pas allé à l'école depuis très longtemps. En route je m'ai dit que Jessica ne serait pas là mais que je serais dans sa classe pasqu'elle commence avec Mlle Iris et que Mlle Iris m'avait justement demandé de lui faire un nouveau tableau d'affichage de Noël. Mais Jessica serait absente pasqu'on a le droit quand quelqu'un meurt. (Une fois j'ai été absent. La sœur de Sophie était morte et je suis allé à l'enterrement, c'était une petite église à l'autre bout de la ville avec rien que des nègres de couleur dedans sauf nous. Manman a dû courir devant pour prendre Sophie dans ses bras, tellement elle pleurait.)

— T'en veux à l'orange ou au raisin ? a demandé Shrubs.

Y m'a montré des bonbons mais il arrivait pas à retirer le papier à cause de ses gants de hockey. Il les porte toujours. C'est des géants. Ils ont des plaques du haut jusqu'en bas et les doigts sont vraiment gros, tu peux en mettre deux dans un et faire comme si t'avais perdu un doigt. J'en ai pris un au raisin, c'était une grenade.

(Moi mes gants je les ai perdus. Je les perds toujours. Je sais pas où ils passent. Manman dit : « Ils ne s'en vont tout de même pas tout seuls », et moi je dis : « Si, ils prennent la voiture et ils partent en Floride passer l'hiver comme Oncle Less et Tata Fran. » Elle répond : « Arrête de dire n'importe quoi. » Elle m'a même acheté des trucs qui se pincent sur ta veste pour qu'on perde pas ses gants. J'ai perdu ma veste. Ma manman dit que je perdrais ma tête si elle était pas bien attachée à mes épaules mais je dis que je la retrouverais facilement pasque je la connais bien. Remarque, dans les glaces on se voit à l'envers, enfin la gauche à droite et la droite à gauche.)

Je suis allé tout droit dans la salle de Mlle Iris pour lui faire son tableau d'affichage. Je m'ai assis dans le fond. Je devais même pas écouter. J'avais un des nouveaux pupitres, y z'ont du plastique dur dessus comme une cuisine. J'aime les nouveaux pupitres, ils sont bien lisses et on a pas besoin de sous-main pour pas faire de marque sur son papier.

Pour le tableau d'affichage j'avais le droit de m servir de vraie colle liquide, pas de colle blanche, e de ciseaux pointus qui pourraient crever un œil. J'a commencé par la barbe. Je la faisais avec du coton d l'infirmerie. Mais j'ai fait couler de la colle partou sur le pupitre et sur moi et le coton a collé partout. J m'ai mis à éternuer et tout le monde m'a regardé

La deuxième cloche à sonné, celle des retardataires. Et alors il est arrivé quelque chose. Jessica es entrée.

Elle était habillée en dimanche avec une robe, de bas de laine qui montaient au genou et des chaussures brillantes avec des fenêtres sur le dessus. Ell était en retard mais Mlle Iris a fait comme ça d'alle s'asseoir avec sa tête et ça veut dire que c'es pardonné. En allant s'asseoir, Jessica m'a regardé J'avais du coton sur moi partout.

— Mes enfants, aujourd'hui nous allons faire u exercice de narration un peu spécial, a dit Mlle Iris On va raconter à tour de rôle les vacances d Thanksgiving. Ça va être fabuleux !

(Je m'ai senti drôle pasque j'étais pas dans m classe et pasque Jessica était là et pasque j'étai couvert de coton et pasque Mlle Iris avait dit fabuleux que je l'avais jamais entendu dire avant.)

— Andy Debbs, tu veux bien commencer ?

(J'ai attaqué le nez. Je voulais qu'il soye tout ron comme une boule. J'ai fait un cercle mais il était pa rond, alors je l'ai corrigé mais il l'était toujours pas alors je l'ai de nouveau corrigé et il est devenu si peti que je l'ai jeté, c'est dur de découper. J'ai essayé d'e tracer un autre sur du papier d'emballage, mais i était pas rond. Et puis j'arrivais pas à en faire un boule. Je l'ai chiffonné. Et j'ai cassé mon crayon d'u coup de karaté. Andy Debbs était en train de parler de son Thanksgiving.)

— D'abord on est allé à la chapelle pour dire nos prières avec les sœurs et remercier le Bon Dieu de nous avoir fait vivre en bonne santé d'un Thanksgiving à l'autre. Mais Peter Woods a pas voulu venir pasqu'y s'était cassé la patte deux semaines avant sur une balançoire et qu'il avait pas envie de remercier.

« Il pleuvait, alors après les prières on est allé dans la grande salle où y avait des arbres de Noël qu'on devait décorer. Seulement les grands devaient surveiller les petits et c'était pas très drôle pasqu'y z'en ont profité pour faire qu'à nous embêter. Deux magasins nous avaient donné un arbre cette année. La quincaillerie Brickman et le garage Torch. On s'est servi des mêmes décorations que l'an dernier mais y en avait de cassées. Les sœurs nous ont même aidés. Le père Birney lui-même est descendu, c'était un honneur.

« Et puis on a eu le dîner de Thanksgiving. C'était une fête pasqu'y z'avaient mis des nappes sur les tables du réfectoire. On a eu de la dinde et de la farce et du dessert. On pouvait se resservir en plus.

« Et puis on est retourné dans la grande salle et on a joué à des jeux. Et puis on a dit quelques prières et le père Birney nous a parlé de la chance qu'on avait d'avoir la grâce de Dieu sur nous qui nous donnait des sœurs aussi merveilleuses pour s'occuper de nous et aussi qu'il avait tellement pleuré d'avoir pas de souliers tant qu'il avait pas rencontré ce petit garçon qui n'avait pas de pieds et puis on est allé au lit et j'ai réussi à pas me brosser les dents pasque c'est moi qu'ai rangé les jouets.

(J'avais enfin réussi. J'avais tracé trois petits cercles sur du carton avec des pièces de monnaie et puis je les avais collés l'un sur l'autre ça avait l'air d'un nez. Alors je l'avais collé en place. Il avait glissé mais j'avais décidé de le laisser quand même.)

Mlle Iris a appelé Ruth Arnold. Elle souriait content content comme une idiote. Elle s'est mise à parler mais personne l'entendait. C'est la plus moche personne d'Amérique, je te jure. Quand elle est née, ses parents ont dit « quel trésor ! » et alors ils l'ont enterrée. Elle est tellement moche qu'elle fait tomber les feuilles des arbres et quand elle est de face elle a l'air de dos (tout ça c'est des blagues pour dire qu'elle est moche). Eugène Larson a crié : « Eh, faut monter le son, le bouton de droite ! » Et Mlle Iris a dit à Ruth d'attendre que la classe soit calmée.

— Pour les vacances de Thanksgiving, a dit Ruth Arnold, on est allé à Philadelphie, en Pennsylvanie, chez ma tante Greta. A Philadelphie on trouve plus d'un monument et plus d'un site historiques.

Elle a mis la main dans sa poche et elle a pris un morceau de papier et elle s'est mise à lire.

— Il y a le majestueux Independence Hall où nos aïeux ont signé la Déclaration d'Indépendance en 1776.

Eugene Larson s'est mis à tousser. Il est tombé de son pupitre et s'est mis à se rouler par terre comme s'il allait mourir, et tout le monde s'est mis à rire et Mlle Iris est venue l'attraper au colback et elle l'a flanqué à la porte. Ruth Arnold avait même pas arrêté de parler. De toute manière on l'entendait pas.

Jessica s'est retournée et m'a regardé. Je l'ai vue. J'ai baissé les yeux et j'ai fait semblant de faire le nez.

Mlle Iris est revenue et elle a claqué la porte et dit de croiser les bras et de baisser la tête jusqu'à ce qu'on soye tous calmés. Ruth Arnold lisait toujours sur son morceau de papier.

— Ça suffit Ruth, assieds-toi, qu'elle a dit Mlle Iris. Allez ! Les bras croisés tout le monde, et tout de suite !

Moi je savais pas quoi faire. Je savais pas si je devais aussi. J'ai levé la main pour demander mais la maîtresse m'a pas vu. Alors je m'ai levé pour aller à son bureau mais je m'ai arrêté à mi-chemin et retourné et j'ai vu que Jessica me regardait avec des grands yeux et je suis resté là.

— Gil, qu'est-ce que tu fabriques ? Peux-tu je te prie me dire ce que tu peux bien fabriquer ? a dit Mlle Iris.

J'ai été jusqu'à son bureau.

— Est-ce que je dois croiser les bras moi aussi, mademoiselle ?

— Non, pas toi.

J'ai retourné à mon pupitre et je m'ai attaqué à la bouche.

— Très bien, a dit Mlle Iris. Si vous vous sentez capables de vous tenir tranquilles et de vous taire, nous allons pouvoir recommencer. Sinon ce sera toute l'heure les bras croisés en silence. C'est compris ? Toi, Ruth, assieds-toi, tu as assez parlé.

Alors Jessica a levé la main. Mlle Iris l'a vue mais elle a rien dit. Jessica s'est quand même levée et elle est allée se mettre à côté du bureau de la maîtresse devant la classe.

Elle souriait. J'ai cru qu'elle allait se mettre à chanter. Elle a lissé sa robe, arrangé ses cheveux en arrière et elle s'est tenue bien droite. Et puis elle s'est mise à parler ni trop fort ni trop doucement Juste comme il fallait.

— Le matin de Thanksgiving, je me suis réveillée

très tôt et j'ai eu une surprise en regardant par l
fenêtre. J'ai découvert que je voyais jusqu'au Mon
tana. Et j'ai vu mon cheval Blacky, qui courait, l
crinière au vent avec de la poussière autour de se
sabots. Il courait vers moi.

« Je me suis habillée et je suis sortie. Personn
n'était encore levé et le soleil brillait comme en été
Je n'avais pas besoin de me couvrir. Je suis sortie su
notre perron, où nous avons des fleurs même en hive
et y avait un garçon sur le trottoir en ciré. J'ai dit
" Pourquoi tu as ton ciré, petit ? Il ne pleut pas. " Et i
m'a donné un pantin. Et alors on est allé se promene

« On est allé jusqu'à un très grand trottoir et on a
glissé sur un toboggan jusqu'à un endroit où y avai
beaucoup de jouets. Il y avait des poupées, de
maquettes et aussi des pantins de chiffon. Puis on es
allé dans un endroit où y avait des manèges et on a
fait des tours. On était les seuls. Puis on est allé en
bateau.

« On a trouvé une voiture, il y avait les clés dessu
et on est parti pour la Floride pendant trois heures
Quand on est revenu de Floride, on a monté une pièce
de théâtre sur les policiers. Et puis on a été trè
fatigué alors on est rentré chez moi dans ma maison
et là on a fait des tours de magie jusqu'à ce qu'on
s'endorme et quand on s'est réveillé, on était de
grands.

Personne disait rien.

Je la regardais avec mes yeux. De tous mes yeux je
la regardais. Je pouvais pas pas regarder. Elle fixait
le fond de la classe où y avait un tableau d'affichage
avec des dindes dessus que j'avais fait. Et sous mon
ventre j'ai senti quelqu'un qui me tordait comme un

avion avec un moteur à élastique, de plus en plus serré. Serré.

Personne a même bougé. Mlle Iris bougeait pas. Mais moi tout seul je m'ai levé et je suis allé près du bureau devant la classe. J'ai regardé Jessica. Elle m'a regardé et elle s'est tournée vers la porte. Elle l'a ouverte. Elle est sortie et je l'ai suivie.

18

Jessica est sortie par la porte de la rue Marlowe, sous le nez des surveillants. J'avais du mal à la suivre. Elle a traversé Curtis en courant et a commencé à descendre la rue Marlowe, marchant très vite vers sa maison. Il faisait très froid dehors mais j'ai mis longtemps à m'apercevoir qu'on n'était pas couvert du tout. Il pleuvait toujours très fort. Devant moi, je l'ai vu sur la tête de Jessica où les gouttes explosaient et faisaient comme des diamants.

La rue était vide. Y n'y avait pas de patrouilleurs de sûreté pasqu'ils étaient encore tous à l'école. (Quand ils enlèvent leurs ceintures croisées ils redeviennent des vrais enfants d'un seul coup. Une fois j'ai rencontré l'affreux patrouilleur du carrefour Lauder-Northland avec sa mère et elle l'engueulait pasqu'il mettait les doigts dans son nez. C'était comme si ça avait même pas été lui.)

Jessica a tourné au coin de la rue Margarita. Tiens, elle allait donc pas chez elle, finalement. Je l'ai déduit.

— On devrait retourner, j'ai crié dans son dos. On n'est pas couvert et c'est la saison de la grippe alors on ferait mieux...

Mais elle a continué de marcher de plus en plus

vite, de plus en plus vite, comme si elle était pressée d'arriver quelque part. Je savais pas où. Puis j'ai pensé quelque chose. Qu'elle essayait de s'éloigner de moi, pasqu'elle m'avait jamais demandé d'aller avec elle. Alors je m'ai arrêté sur le trottoir et j'ai mis mes bras autour de moi pasqu'y faisait tellement froid et je l'ai vue devenir de plus en plus petite dans la rue.

Mais elle s'est arrêtée. Elle s'est retournée et elle a crié :

— Viens vite ! On gèle !

J'ai couru. Mais j'ai trébuché et je m'ai égratigné le menton et c'était vexant, j'avais honte pasqu'elle m'avait vu.

— Il nous faut des manteaux, elle a dit.

— Tu l'as dit, j'ai dit.

Et puis je l'ai vu. L'officier de répression de l'école buissonnière. Il s'appuyait à une auto, le chapeau rabattu sur les yeux, occupé à écrire sur un calepin, à cent mètres de chez moi. C'était le nom de tous les enfants qui sèchent l'école. Et y avait le nôtre. Il nous attendait près de chez moi pour nous attraper. J'ai pris le bras de Jessica.

— C'est la répression de l'école buissonnière, Jessica. Y va nous attraper et nous envoyer en maison de correction. Qu'est-ce qu'on va faire ?

Jessica l'a regardé.

— Gil, il relève les compteurs d'eau.

— Oh.

On est reparti vers ma maison.

El Commandante était venu à l'école et il avait ficelé Mlle Messengeller dans le bureau jusqu'à ce qu'elle lui dise où on rangeait l'argent de la cantine. Et puis j'étais arrivé dans le bureau pasque j'avais fait la grande scène du II pendant l'instruction civique et je l'avais vu et je lui avais filé un bon coup de poing mais les autres soldats qu'étaient avec El Commandante m'avaient capturé mais je m'étais échappé en faisant le ventriloque et j'avais tué El Commandante avec mon épée et alors on m'avait mis à la porte pour mauvaise conduite, indigne d'un bon petit citoyen. Jessica m'aidait.

Voilà ce que j'allais dire à ma mère quand elle me demanderait ce que je fabriquais à la maison.

— Ne dis rien à ma mère, j'ai dit à Jessica. Elle est sourde alors elle t'entend pas. Y faut lui parler par signes.

Mais y avait personne à la maison. J'ai dû me laisser glisser dans la cave par le toboggan à charbon et revenir ouvrir la porte. Je le fais souvent. Il faut s'aplatir. Je suis fort pour m'aplatir. Un jour mon papa y m'a demandé pourquoi je me glissais pas dans une enveloppe et que je m'envoyais pas en Alaska. Mais j'ai dit que j'avais pas assez de timbres (c'était vrai).

J'ai traversé la cuisine et je suis allé dans l'entrée de derrière et j'ai ouvert à Jessica. Elle tremblait. Elle disait rien, debout au milieu de l'entrée de derrière, et elle tremblait des pieds à la tête. Alors tout d'un coup je m'ai dit qu'elle allait mourir et j'ai couru dans ma chambre chercher Pougnougnou. Je l'ai mis sur Jessica, il était tout content.

Alors je suis allé au placard de l'entrée de devant. Tout restait très coi dans la maison, on entendait la pendule tiquer dans la salle de séjour et je m'ai mis à avoir un peu peur pasque j'aurais pas dû être là à ce moment-là. J'ai ouvert le placard de l'entrée et j'ai pris le blouson que m'avait donné mon papa, celui que j'avais mis pour aller à la Rotonde Ford, et j'ai vu qu'une poche était gonflée. C'était Câlinot le Singe qui mangeait son déjeuner. J'ai aussi pris le manteau à ma manman, celui qu'elle met pour faire ses commissions. Je les ai emportés dans l'entrée de derrière et j'ai mis le manteau de ma manman sur Jessica par-dessus Pougnougnou et le blouson à mon papa sur moi. Les manches me pendaient par-dessus les mains. Câlinot le Singe chantait.

Vite Jessica a arrêté de trembler. Elle tenait Pougnougnou sous le manteau. Il aimait ça.

Je lui ai dit qu'il fallait qu'on s'en aille sinon on n'allait pas tarder à avoir des ennuis quand ma manman rentrerait.

On est parti.

On s'est mis en route vers Seven Mile Road, dans la direction opposée à l'école. (Je pensais que je retournerais jamais à l'école. J'avais raison.)

On est passé devant le maison de Shrubs, au coin, près du lave-voitures. Y avait pas de voiture dedans, pasque c'était un temps peu clément, mais y avait deux monsieurs de couleur devant, assis sur un banc, à manger des chips. Ils avaient des tabliers noirs en caoutchouc. Un des deux je l'avais déjà vu, il est toujours là, il a l'air méchant pasque son nez descend un peu comme ça, mais une fois Shrubs m'a dit qu'il était enfermé dehors de chez lui il était allé au lave-voitures et le monsieur l'avait laissé attendre à l'intérieur et lui avait donné des pommes de terre chips et lui avait même pas demandé de l'aider à laver les voitures.

On a tourné par là dans Seven Mile. A gauche. Par là c'est à gauche, par ici c'est à droite, par là c'est en haut, par ici c'est en bas. Si tu te perds, tu dois demander à un agent de police et si tu ne peux pas te brosser les dents après chaque repas, tu peux au moins te rincer soigneusement la bouche. Je suis une mine de renseignements. C'est mon papa qui le dit. Des fois y dit aussi que je suis monsieur-je-sais-tout.

Et puis on est arrivé chez Maxwell. Chez Maxwell, y a deux dames qui travaillent là. Une est petite et jeune et brune et gentille avec les enfants. L'autre est vieille, elle a les cheveux gris et elle est très méchante et Jeffrey l'appelle la vieille taupe. Elle a même ses lunettes au bout d'une chaîne autour du cou pour qu'elles puissent pas s'en aller. Elle était seule chez Maxwell ce jour-là.

Chez Maxwell ça sent un arôme comme les chaussures neuves. C'est les jouets (y z'ont tous des chaussures neuves). Jessica est allée au rayon poupées pasque c'est une fille et moi au rayon cow-boys. Ils sont sur une étagère, tout seuls, tous ensemble, très haut pour que les enfants puissent pas les toucher... Ils sont en couleur, tous. Y en a que j'ai, même Zorro, mais je les regarde quand même toujours chez Maxwell pasqu'y z'ont des revolvers et des chapeaux qui s'enlèvent et que j'ai perdu ceux des miens.

Y en avait un nouveau sur l'étagère, je l'ai reconnu tout de suite, Hopalong Cassidy. Je ne l'aime pas pasqu'il est trop vieux pour être cow-boy, il a les cheveux blancs comme Grand-Papa. Je trouve qu'il devrait prendre sa retraite à Borman Hall, où vit Grand-Papa. C'est comme une espèce d'hôpital où on reste en attendant de mourir mais tout est kascher. Mais j'aime bien le costume de Hopalong Cassidy, il est noir avec comme des clous dedans. Jeffrey a eu une bicyclette Hopalong Cassidy pour son anniversaire. Elle était noire avec comme des clous dedans.

La vieille taupe s'est amenée doucement doucement derrière moi et elle a dit :

— Je peux faire quelque chose pour toi mon petit ?

J'ai fait un bond de mille mètres. Et puis j'ai dit :

— Je cherche des jouets pour mes enfants. J'ai deux fils, Gil et Don Diego. Ce sont de merveilleux petits garçons. Si vous saviez ! Ils ont gagné le concours d'orthographe.

La vieille taupe portait le même parfum que Mme Marston, la maîtresse de la maternelle qu'on pouvait renifler à un kilomètre, ça sent comme une tarte.

Je suis allé jusqu'au rayon baseball. « Mmm, jolis gants », j'ai dit. Et puis un monsieur est entré chez Maxwell et la vieille taupe est allée le trouver.

C'était le fonctionnaire de la répression de l'école buissonnière et j'ai plongé sous le présentoir des battes.

— Vous allez devoir faire le tour, il ne faut pas me salir le plancher, la femme de ménage vient de cirer, disait la vieille taupe au fonctionnaire de la répression.

Il est ressorti par la porte de devant pour revenir par-derrière. Il apportait les cages dans lesquelles il allait nous capturer.

J'ai saisi une batte.

La vieille taupe est revenue au rayon baseball. Elle me cherchait mais je n'y étais plus. J'étais derrière le comptoir des maquettes de balsa. J'étais assis par terre avec ma batte. Je ne pouvais pas les laisser nous prendre. Je ne pouvais pas les laisser prendre Jessica.

J'ai senti la vieille taupe. J'ai serré ma batte. Elle est venue tout près de moi et elle s'est arrêtée. Tout restait coi.

Alors j'ai bondi sur mes pieds en criant :

— C'est un piège. c'est un piège !

Et je faisais tournoyer la batte au-dessus de m tête.

— Vous nous aurez pas vivants, j'ai encore hurlé

Le fonctionnaire de la répression est entré par l porte de derrière et je me suis précipité contre lui e vociférant « You, you, you ! » et je suis sorti e courant par la porte de derrière. Je l'avais dépass sans m'arrêter Je me suis retrouvé sur le trottoi derrière chez Maxwell, je sautais sur place en agitan ma batte.

Et puis le fonctionnaire de la répression de l'écol buissonnière a posé quelques boîtes dans le magasin il est remonté dans sa camionnette et il est parti

J'ai arrêté de sauter d'un air féroce. J'étais tout seu sur le trottoir et il était parti. Je suis rentré dans l magasin.

— Celle-ci est trop légère, j'ai dit. Je vais en choisi une autre.

Je suis allé au rayon des animaux empaillés Jessica regardait toujours les poupées. Chez Maxwell y z'ont beaucoup d'animaux empaillés qui servent d modèle pour en choisir un. Moi j'avais un gran panda, c'était mon préféré après Câlinot le Singe mais il s'est noyé quand notre cave a été inondée Mon préféré chez Maxwell, c'est le kangourou, pas qu'il a un petit dans sa poche, qui peut en sortir e qu'on a les deux pour le prix d'un. Ils avaient aussi u morse avec ses dents.

— Je pense que je vais peut-être acheter un de ce kangourous-là, j'ai dit à la vieille taupe, mais je veu continuer à regarder parce qu'entre nous c'est u scandale, non ?

Elle m'a suivi pas à pas à travers tout Maxwell. Les manches du blouson de mon papa arrêtaient pas d'accrocher des trucs dans les rayons et de les renverser.

— Jeune homme, a fini par dire la vieille taupe, à moins que vous n'ayez de l'argent pour acheter quelque chose, je vais être obligée de vous demander de sortir. C'est interdit aux enfants non accompagnés, ici.

Mais j'étais accompagné puisque Jessica était là. Je m'ai mis en colère contre la vieille taupe, et j'allais presque crier et pleurer quand Jessica s'est mise à parler depuis le rayon des poupées.

— Mais ce n'est pas la vraie Bécassine, ça ! La vraie a les yeux en bouton de bottine, pas en matière plastique ! Vous n'auriez pas une vraie Bécassine, madame ?

— Je regrette, mademoiselle, c'est une vraie Bécassine, a dit la vieille taupe. Et maintenant votre petit frère et vous, il faut que vous partiez.

— Non, je suis désolée, a dit Jessica. Ce n'est pas la vraie. La vraie, c'est moi qui l'avais, et elle est morte. Elle est morte en même temps que mon papa, à l'hôpital, la veille de Thanksgiving.

Pendant une minute, la vieille taupe n'a plus su quoi faire, elle regardait Jessica avec de grands yeux en tripotant ses lunettes. Et puis elle a dit : « Au revoir les enfants », et elle nous a pris chacun par une main et elle nous a tirés vers la porte. Jessica s'est dégagée.

— Vous savez, madame, il se trouve qu'aujourd'hui, dans notre religion, c'est un jour de fête et mon frère et moi nous étions venus ici pour acheter des jouets, comme on le fait le jour de cette fête. Il est plus saint de donner que de recevoir, vous savez. Et maintenant, nous ne sommes pas en mesure de nous acquitter parce que vous ne voulez pas que nous restions ici. Je pense que c'est bien triste pour vous, madame. Bien triste. Adieu, madame.

Et elle est sortie de chez Maxwell toute seule, la tête haute.

— Vous feriez bien de prier, j'ai dit avant de suivre Jessica.

On a remonté Seven Mile ensemble et Jessica n'a plus rien dit. Mais elle était forte pour les farces, ça se voyait.

— Les rues ont des couleurs différentes, Jessica, j'ai dit. Seven Mile Road est noire avec des raies blanches, la rue Lauder est grise et la rue Marlowe a des pavés. Je trouve ça très intéressant.

Et puis j'ai vu un monsieur qui marchait devant nous dans Seven Mile Road. Plus il s'éloignait, plus il avait l'air de rapetisser. On a appris ça en sciences nat. C'est pasque la terre est ronde. Je l'ai dit à Jessica.

— Oui, elle a dit. Mais si c'était pas vrai ? Ce serait comme pour les sirènes de l'alerte aérienne de samedi. Une épreuve. Peut-être que ce monsieur est vraiment en train de devenir plus petit.

(Parfois je fais un rêve la nuit. Je rêve que je marche avec des grandes personnes dans une rue où je ne suis encore jamais allé avant. Tout d'un coup, les grandes personnes se mettent à aller plus vite. J'ai du mal à marcher aussi vite pasque je suis petit mais les grands vont de plus en plus vite. Je ne cours pas pasque ça me gênerait de courir quand tous les autres marchent. Mais alors ils s'éloignent de moi, de plus en plus, deviennent de plus en plus petits et je reste en arrière. Je crie : « Attendez-moi ! » Mais y m'attendent pas. Ils deviennent de plus en plus petits, de plus en plus petits, et puis ils disparaissent. Et je reste seul.)

Juste à ce moment-là, Jessica s'est mise à courir mais elle a trébuché sur le rebord du trottoir et elle est tombée sur la chaussée. Je m'ai mis vraiment en colère pasqu'il faut jamais courir pour traverser la rue. C'est pas ça les règles de sécurité. Je l'ai attrapée par le bras, je l'ai emmenée jusqu'au trottoir d'en face et je l'ai secouée. Des fois ma manman dit qu'elle se met en colère après moi pasqu'elle m'aime et je l'avais jamais compris avant.

— Y faut respecter les règles de sécurité, Jessica, je lui ai dit, comme nous a dit le brigadier Williams à l'assemblée générale.

(Les règles de sécurité ça me connaît. Rouge pour stop. Vert pour allez-y. Orange pour attention. Et jaune ? Je ne sais pas.)

Jessica a mis un doigt dans sa bouche et un pied sur l'autre comme une toute petite fille. Elle m'a regardé avec ses yeux qui sont des géants. Elle se balançait d'avant en arrière et elle faisait bouger ses lèvres comme ça, ensemble. Elle me fixait.

— Tu veux ma photo ? j'ai dit.

Elle m'a tiré la langue et ses lèvres sont devenues brillantes.

— Si y a un coup de vent tu resteras comme ça toute ta vie ! j'ai dit.

Elle a fait une grimace. Elle avait l'air qu'elle allait se mettre à pleurer. Et puis elle a retiré son doigt de sa bouche, elle a tendu la main vers moi et elle m'a touché.

— Chat ! ah, ah, je t'ai eu, qu'elle a crié et elle es partie en courant.

Je l'ai rattrapée et je l'ai secouée un bon coup

— Te moque pas de moi, Jessica, j'ai dit. J'a horreur de ça.

Alors elle a remis son doigt dans sa bouche et elle a eu l'air qu'elle allait se mettre à pleurer. Je pouvais pas dire si elle jouait la comédie ou pas. Avec Jessica je pouvais pas dire. Je la regardais simplement comme ça, sans savoir, dans Seven Mile Road, avec les voitures qui passaient et tout le bruit de la circulation autour de nous.

J'ai entendu un autre bruit qui venait dans mon dos. Je m'ai retourné et j'ai vu un petit garçon sur son vélo, il avait mis des cartes dans les rayons et ça faisait beaucoup de bruit. Y conduisait imprudem- ment, mon vieux. Il allait si vite qu'il est descendu du trottoir sur la chaussée et a failli se faire renverser par des voitures avant de remonter sur le trottoir. Il avait des sandales rouges. Il est passé devant nous et je l'ai regardé s'éloigner, avec ses sandales rouges qui tournaient, qui tournaient autour du pédalier. Loin dans Seven Mile, il a cabré son vélo sur la roue arrière, fait un quart de tour à gauche, et puis il a disparu.

Jessica et moi on a été jusqu'au grand carrefour où Greenfield Road croise Seven Mile, c'était vraiment très bruyant et y avait des tas de voitures qui allaient très vite.

— On traverse, a dit Jessica.

Elle souriait, maintenant. J'ai répondu :

— Non. On a pas le droit sans une grande per- sonne. Ma manman m'a dit de jamais traverser Seven Mile Road sinon je me ferai écraser.

— On n'a qu'à traverser quand même, a dit Jessica.

Elle a commencé à traverser. Les voitures arrivaient, je lui ai couru après et je l'ai tirée en arrière de nouveau sur le trottoir. Je tremblais. Je l'ai lâchée et j'ai mis les mains dans mes poches. Elle m'a simplement regardé. Et puis elle s'est éloignée.

— Jessica ! j'ai dit.

Mais elle s'éloignait, alors je m'ai dit, elle s'en va, elle est fâchée contre moi pasque j'ai pas traversé Seven Mile Road et que je sùis un dégonflé.

Alors j'ai fait quelque chose. Je suis descendu du trottoir et je m'ai mis à traverser. Les voitures ont écrasé leurs freins et quelqu'un a ouvert sa vitre pour m'engueuler mais j'ai continué d'avancer, et puis j'ai fermé les yeux tellement j'avais peur mais j'ai continué de traverser jusqu'à ce que je soye de l'autre côté de Seven Mile Road. Seulement quand j'ai regardé, Jessica ne s'en était même pas aperçue. Elle parlait avec un monsieur devant le coiffeur. Et puis elle lui a donné la main et il l'a fait traverser Seven Mile Road et puis lui il est retourné de l'autre côté. Jessica est venue près de moi.

— Y ne faut pas traverser tout seul, Gil, elle m'a dit. J'ai eu très peur pour toi.

Moi je suis parti. Je pleurais presque et puis elle m'a couru après mais je m'ai pas retourné pasque je pleurais presque.

— Pardon, Gil, elle m'a dit. Je faisais pas ça pour te faire traverser.

J'ai pas parlé pendant quelques minutes et puis je lui ai dit d'accord, que ça allait et on a continué à se promener dans Seven Mile Road mais je la regardais et je savais pas ce qu'elle voulait quand elle disait les choses.

On est arrivé au Pays des Petits. C'est un endroit près du magasin où on vend des culottes de dame (on les montre en vitrine et ça me fait honte), un endroit où y a des manèges et des attractions. Mais c'était fermé pour l'hiver. Seulement y avait un monsieur qu'était en train de défaire des fils électriques. Il démontait les manèges. Il était sale, avec une chemise à carreaux et une barbe de pas s'être rasé.

Jessica s'est arrêtée et s'est appuyée à la clôture du Pays des Petits pour regarder ce que faisait le monsieur.

Il nous a vus. Il a commencé à marcher vers nous et moi je m'ai mis à courir mais Jessica est restée appuyée contre la clôture.

— Eh ben les mômes, vous devriez pas être à l'école ? a dit le monsieur.

J'ai vu qu'il avait du noir sous ses ongles.

— C'est des vacances spéciales, elle a dit Jessica. Pour nous. Rien que pour deux élèves. Nous deux.

Le monsieur a souri.

— Ah oui, il a dit. C'est des vacances que je connais bien, ça, je m'en suis payé pas mal, moi, de ces vacances spéciales.

Jessica lui a souri aussi mais moi je voulais m'en aller, il ne faut pas parler aux inconnus.

— Ça vous dirait les gamins un petit tour de bateau, avant que je démonte la rivière enchantée, hein ?

— Non, j'ai dit.

— Oui, a dit Jessica.

J'ai fait non avec la tête mais elle a posé sa main sur moi et elle m'a regardé. J'ai dit :

— Jessica, c'est pas bien. Le Pays des Petits est fermé.

Mais elle a souri, elle m'a tiré comme ça, et on y est allé.

Le monsieur défaisait d'autres fils électriques. Y m'a pris dans ses bras et y m'a déposé dans un bateau, puis il a soulevé Jessica et il l'a mise dans un autre bateau.

— Ouais, profitez-en, demain, y aura plus rien. Fini le Pays des Petits. N-I ni c'est fini. Plus de Pays des Petits pour vous deux, à partir de demain.

— Plus jamais ? elle a demandé Jessica.

Le monsieur a seulement souri. Il a tiré un bâton et les bateaux ont commencé à tourner. Nous on s'est assis et on a tourné avec les bateaux. Je faisais semblant que j'étais dans un vrai. On pouvait laisser traîner sa main dans l'eau, en tournant, et ça faisait des vagues C'était très froid. J'ai aussi fait sonner la sonnette de mon bateau et j'ai bougé le volant. Et puis il est arrivé quelque chose.

Je m'ai retourné pour voir Jessica dans son bateau mais elle y était pas, il était vide. Alors je m'ai tourné de l'autre côté et je l'ai vue. Elle était debout dans l'eau, au milieu des bateaux. L'eau lui montait aux cuisses, elle avait un doigt dans la bouche et elle pleurait.

Je m'ai mis debout dans mon bateau et je l'ai attrapée par le bras et elle est montée dans mon bateau. Elle était toute mouillée. Elle avait terriblement froid. Elle pleurait. Elle s'est assise près de moi Je voyais pas le monsieur. On n'arrêtait pas de tourner, de tourner.

Le monsieur est enfin revenu, seulement il était

devenu plutôt méchant. Il nous a sortis du bateau e
puis il nous a poussés dehors.

— C'est fini pour vous le Pays des Petits, il arrêtai
pas de répéter, c'est fini pour vous le Pays des Petits.

Ça me faisait peur.

Jessica tremblait de nouveau et on a remont
Seven Mile Road. Il pleuvait encore un peu et il
avait du vent. Je savais qu'il fallait que je sauv
Jessica. Et puis justement j'ai vu quelque chose
C'était Hanley-Dawson Chevrolet, c'est un magasi
de voitures de Seven Mile Road tout près du Pays de
Petits. C'est un très grand salon avec des vitrines o
on montre les voitures à vendre. Et sur une vitrine
avait un grand écriteau : VENEZ FAIRE CONNAISSANC
AVEC LES MODÈLES DE NOTRE NOUVELLE GAMME — CAFÉ E
BEIGNETS GRACIEUSEMENT OFFERTS PAR HANLEY-DAWSON

J'ai pris Jessica par la manche et je l'ai tirée à
l'intérieur de Hanley-Dawson Chevrolet.

Il faisait chaud là-dedans, il y avait un canapé pou
s'asseoir et Jessica s'est assise dessus. Il était vert. E
puis je suis allé à la petite table où y avait le café e
les beignets. Y avait des grandes personnes tou
autour. J'ai dû faire la queue. Hanley-Dawson Che
vrolet c'est des bureaux avec des monsieurs e
costume et des téléphones et une dame avec de
écouteurs qui branchait et débranchait des fils quand
les téléphones sonnaient. J'ai fait la queue bien
comme il faut et quand mon tour est arrivé j'ai fait un
café de petit garçon pour Jessica et j'ai eu droit à un
regard de chien de fusil pour avoir fini le lait. Je lui ai
porté un beignet aussi, c'était des beignets nature,
sans confiture ni sucre glace. Je lui ai montré à
tremper, comme mon papa m'a appris. Moi je trempe

des sandwiches à la salade de thon dans mon lait chocolaté, c'est délicieux et nutritif.

— Morty Nemsick appelle ça un sofa, moi mes parents disent un canapé. Et toi Jessica ?

Je lui parlais. C'était de la conversation pour qu'elle arrête de trembler. Mais elle a rien dit. Elle a porté le café à sa bouche mais elle s'est mise à le renverser partout pasqu'elle tremblait tellement. Alors je le lui ai pris et je le lui ai tenu pendant qu'elle buvait.

Un des monsieurs en costume est venu nous voir.

— Vous êtes avec vos parents vous deux ? il nous a demandé.

— Oui monsieur, j'ai dit.

Il a regardé nos manteaux.

— On les garde pour nos parents, j'ai expliqué, ils sont ailleurs.

Il est reparti et je l'ai regardé rejoindre un autre monsieur en costume et se retourner vers nous et nous montrer du doigt. (Il ne faut pas montrer du doigt, c'est mal élevé.) Alors je m'ai levé. Devant nous y avait une voiture rouge. Y avait une dame et un monsieur qui la regardaient, ils étaient très bien habillés, ils étaient plus jeunes que mes parents, la dame avait des bottes à talons hauts et du maquillage. Alors je suis allé me mettre juste derrière eux.

— Je les trouve fantastiques moi, ces garnitures, disait la dame.

— Elles sont en option, disait le monsieur.

— Fabuleux, j'ai dit, moi.

Y m'ont regardé tous les deux, alors je leur ai fait un petit signe de la main. Ils ont regardé mon blouson de mon papa.

— Je grandirai dedans, j'ai expliqué, c'est trè raisonnable pour l'hiver.

Le monsieur en costume me regardait avec l'autr monsieur. Alors je leur ai fait un petit signe à eu: aussi. Le monsieur et la dame ont fait le tour de la voiture rouge et je les ai suivis en faisant oui de la têt chaque fois qu'ils disaient quelque chose.

Mais ensuite j'ai regardé Jessica et j'ai vu qu'ell tremblait encore plus. Alors je suis retourné la trou ver. J'avais une idée.

— Viens, je lui ai dit.

Et je l'ai fait lever. Je l'ai emmenée jusqu'à un grosse voiture noire qu'ils exposaient là. La portièr était ouverte. C'était tout noir à l'intérieur. Y avai des gros sièges. Y avait des fenêtres. Et il faisai chaud. On est entré. On a fermé les portières. Je m'a mis du côté du conducteur, comme le papa, et Jessic s'est assise à côté de moi. Elle a enlevé ses chaussure et mis Pougnougnou sur ses jambes et elle s'est vit réchauffée, je le voyais bien.

Je regardais par la fenêtre. J'ai fait quelque chos que je fais souvent en voiture. J'ai regardé par la fenêtre et puis j'ai repéré un petit grain de poussièr sur la vitre, alors j'ai fermé un œil et puis j'ai fait monter et descendre ma tête et le grain de poussière s'est mis à sauter par-dessus les arbres.

— Bon, allez les enfants, sortez de là. Ce n'est pas un jouet !

C'était le monsieur en costume. Il était devant la portière. On a verrouillé les portières.

Le monsieur en costume est allé chercher l'autre monsieur en costume qui était plus vieux.

— Ça suffit, les enfants, il a dit. Dehors. Dehors tout de suite.

Je l'ai ignoré. Je lui ai fait le coup du mepris. Il a donné des coups de poing contre la fenêtre et puis il a regardé l'autre monsieur en costume et il a dit :

— Bon faites-les-moi sortir de là, vous m'entendez ?

Et il est parti. L'autre monsieur est resté, il nous regardait en faisant les gros yeux.

Jessica a mis sa figure contre Pougnougnou et lui a fait un câlin. Ses genoux montaient et descendaient, montaient et descendaient, ils étaient recouverts par le haut roulé de ses chaussettes montantes qui étaient devenues comme toutes lisses et claires d'être mouillées. J'ai tendu la main. Je les ai presque touchées et puis non. J'ai posé la main sur la banquette finalement

Bientôt tous les gens qu'y avait à Hanley-Dawson Chevrolet se sont retrouvés autour de la voiture à nous regarder Jessica et moi. Je leur faisais des signes. C'était comme si on avait été dans un défilé. Seulement Jessica ne les regardait pas. Elle gardait les yeux baissés et ne disait rien, comme ça.

Le monsieur en costume est allé chercher la dame avec les écouteurs.

— Vous avez des enfants, il lui a dit, vous saurez peut-être leur parler.

La dame a fait un grand sourire en nous regardant et elle a dit :

— Eh bien, les petits, vous ne croyez pas qu'il est l'heure de rentrer ? Vos mamans et vos papas doivent se faire du souci.

Mais moi j'étais trop occupé par la conduite. J'étais en route pour Miami.

Jessica avait des rubans dans les cheveux assortis à sa robe. Seulement ils étaient tout trempés à cause de

la pluie, dehors, et ils pendaient de travers. J'ai ét
pour en toucher un et puis non.

Un des monsieurs en costume s'est mis à rire et u
autre lui a dit :

— C'est ça, vas-y, encourage-les !

Et puis le vieux est revenu. Il hurlait.

— Mais où est passée la clef de cette bon Dieu d
bagnole ! Personne ne sait plus où passent les chose
ici !

Trois monsieurs en costume sont partis chercher la
clef.

Moi je continuais de conduire vers la Floride et
Jessica avait baissé la tête et fermé les yeux. Quand
elle s'était penchée en avant Pougnougnou avait
glissé de ses jambes. J'ai tendu la main pour le
ramasser et ma main a cogné quelque chose. A côté
du volant. Ça faisait *ding-dong*. J'ai regardé. C'était
les clefs de la voiture.

Alors j'ai fait un truc. Je savais pas comment mais
je l'ai fait. J'ai bien tendu mes jambes et j'ai posé le
pied sur la longue pédale et je l'ai enfoncée et puis j'ai
tourné la clef. Il est sorti de la fumée, j'ai sursauté, ça
faisait du bruit. Tous les gens se sont écartés à toute
vitesse de la voiture et le plus vieux des monsieurs en
costume est venu en courant donner des grands coups
de poing dans les fenêtres en criant :

— Je vais appeler les flics, moi, sales gosses !

Et puis je n'ai plus rien fait parce que je ne savais
pas ce qui allait arriver. Mais quelque chose est
arrivé. Jessica s'est mise à parler.

– Bécassine est pas morte, Gil. Je l'ai tuée à
l'hôpital. Je suis allée voir mon papa. On l'avait
emporté dans une ambulance. J'étais avec ma tante,
elle m'a fait entrer dans la chambre. Ma maman était

là, près de lui, il était sous un truc en plastique, une tente, et il avait plein de tubes partout. Mais ses yeux étaient ouverts. Je me suis approchée de lui. « Papa, c'est moi, c'est Contessa », je lui ai dit. Mais il a rien dit. « C'est moi, Contessa », j'ai dit. Il me regardait droit dans les yeux mais il ne disait rien. Il faisait exactement comme s'il me connaissait pas. J'ai dit : « C'est moi, papa, c'est moi », mais il a regardé de l'autre côté et j'ai pensé que c'était à cause du plastique, pasque ça l'empêchait de voir, alors j'ai tendu la main pour le lui arracher, mais maman m'a pris la main et je l'ai repoussée. J'étais furieuse contre mon papa ; il ne voulait même pas me parler, je me suis mise à crier. Je lui ai crié qu'il était méchant de même pas vouloir me parler. Ma tante m'a tirée en arrière et m'a fait sortir de la chambre. Elle m'a fait asseoir dans le couloir, sur des chaises en plastique qui étaient dures. J'avais Bécassine avec moi.

« Et puis ma maman est sortie de la chambre et elle pleurait. Elle a dit à ma tante que tout était fini et qu'elle me ramène à la maison. Mais j'ai hurlé que je voulais voir papa. Ma tante me tenait vraiment très fort. Elle m'a pas laissée y aller. Elle disait qu'il y avait des choses que les enfants ne comprennent pas.

« Alors j'ai décidé que je n'allais plus être une enfant. J'ai pris Bécassine et je l'ai tuée dans la corbeille à papiers près des ascenseurs.

Et Jessica s'est mise à pleurer. Elle pleurait dans cette voiture, elle pleurait, elle pleurait toute penchée en avant et je savais pas quoi faire. Alors j'ai tendu les bras, comme fait mon papa quand j'ai des cauchemars, et je les ai mis sur Jessica. Je les ai mis autour d'elle et Jessica s'est appuyée contre moi, contre le devant de moi. Je l'ai tenue contre mon cœur dans la voiture. Serrée, bien serrée contre mon cœur dans la voiture, pendant que des grandes personnes cognaient contre les fenêtres tout autour de nous.

19

L'agent de police avait un revolver mais y nous a pas tués. Il était gentil, comme agent de police et il aimait les enfants, mais il a dit que c'était dangereux de conduire à l'intérieur d'un magasin. Il a téléphoné à la mère de Jessica mais elle n'était pas chez elle et puis il a appelé chez moi mais il a eu Jeffrey qui a dit que ce n'était pas le bon numéro. Alors l'agent de police nous a dit qu'on pouvait y aller à condition de promettre de rentrer tout droit chez nous, et quand on est parti j'ai entendu le plus vieux des monsieurs en costume dire : « Comment, c'est tout ? Vous les laissez filer comme ça ? » et l'agent de police a dit : « On dirait que vous n'avez jamais eu leur âge. »

Le ciel était complet, c'est-à-dire qu'il était tout barbouillé et qu'il pleuvait. (Quand je rentre tout barbouillé et mouillé pasque je m'ai battu, manman dit toujours « c'est complet ».) Les rues étaient luisantes de pluie et on voyait fumer son haleine. On est rentré.

Je suivais Jessica pour pouvoir la regarder. On est passé devant Maxwell sur l'autre trottoir. La grosse pendule de la banque disait 4 heures.

On ne parlait plus. On a été coi pendant tout le chemin jusque chez Jessica. Dans l'allée de sa maison, y avait deux voitures, un break et une petit auto. Je savais que la petite était celle de son pèr Jessica a ouvert la petite porte, sur le côté de l maison et elle est entrée mais moi je ne voulais pas J'ai attendu dehors qu'elle me dise d'entrer. Puis j suis entré quand elle me l'a dit

Toutes les lumières étaient éteintes, il n'y avai personne à la maison, pas même de bêtes. Jessica a enlevé le manteau de ma manman mais j'ai gardé l mien. Il y avait quelqu'un dans la poche, Câlinot l Singe, il dormait. Jessica a traversé le vestibule pou aller dans la salle de séjour. Elle ne disait rien. Ell s'est assise sur le sofa de côté et elle a posé ses pied dessus, laissant des marques sombres d'humidité (Mais on ne doit pas mettre ses pieds sur les meubles ça les fiche en l'air dit ma manman et après y faut le donner aux pauvres. Une fois mon grand-père a vendu toutes les chaises de la maison sans le dire à personne. Un monsieur est venu et il était en train de les charger dans un camion quand manman es arrivée. Elle l'a engueulé. Elle disait : « Mais vou savez bien que c'est un vieux monsieur, à plus de quatre-vingts ans, vous croyez qu'il connaît encore la valeur du mobilier ? »)

Debout dans le vestibule, je regardais Jessica. Dans un coin de la salle de séjour, il y avait une grand horloge. La Capitaine Kangourou en a une qui danse mais celle de Jessica ne dansait pas. Elle n'avai même pas de façade. Rien qu'un truc dans le bas qu allait et venait, allait et venait.

Près du sofa y avait une table pleine de napperons et de bibelots. Jessica regardait par la fenêtre qu était dans son dos et sautait d'un pied sur l'autre

Dehors la lune était sortie. En musique on avait appris une chanson :

Au clair de la lune
Mon ami Pierrot
Prête-moi ta plume
Pour écrire un mot
Ma chandelle est morte
Je n'ai plus de feu
Ouvre-moi ta porte
Pour l'amour de Dieu.
Au clair de la lune
On n'y voit qu'un peu
On chercha la plume
On chercha du feu
En cherchant de la sorte
Je ne sais c'qu'on trouva
Mais je sais que la porte
Sur eux se ferma.

— Est-ce que tu la vois, toi la tête du monsieur qui vit dans la lune ? que j'ai demandé.

Les nuages passaient sur la lune et ils la faisaient apparaître et disparaître. Une fois que j'étais sur notre perron en train de regarder la lune, ma maman était venue et elle avait essayé de me faire voir la figure du monsieur qui vit dans la lune. Mais j'ai pas pu le voir. J'ai jamais pu le voir.

Jessica ne disait rien. Je m'ai assis sur le sofa. Dehors la pluie s'est arrêtée. Au bord du ciel c'était rouge. Dans la maison tout était marron. En hiver il fait noir très tôt et l'on retarde les pendules. Le ciel c'est où Dieu habite, je lui ai adressé mes prières à cette adresse. Dans le ciel. J'ai prié pour que le père de Jessica soit pas mort mais Dieu m'a pas écouté. Quand j'étais petit, je croyais que la nuit c'était quand les nuages cachaient le ciel.

— T'as mouillé le sofa, j'ai dit à Jessica.

Elle m'a regardé et elle a dit :

— Quand mon papa est mort, maman a recouvert de draps tous les sièges pour que les gens renversent rien dessus. Elle les a découverts hier seulement. Elle a dit que c'était le moment d'arrêter d'être triste mais elle a pleuré toute la nuit.

Jessica a regardé là où elle avait mouillé et elle a dit :

— Elle aurait mieux fait de laisser le drap.

J'ai regardé par la fenêtre, j'ai posé mon nez contre la vitre et j'ai soufflé des lunettes. J'ai dit :

— T'as vu, Jessica, des lunettes.

Mais elle regardait autre chose, près de l'escalier, pendu à la rampe, un sac à main.

De l'autre côté de la rue, une lumière s'est allumée. Il faisait de plus en plus noir dehors. J'ai cherché la lune mais elle avait disparu. Un chien est passé sur le trottoir, un monsieur le promenait. Un avion est passé là-haut, le bruit était derrière lui. Quelque part dans les maisons, plus loin dans la rue, quelqu'un a crié « Faut que je déplace la voiture ! » et Jessica s'est levée pour aller dans l'entrée et elle a regardé le sac en disant :

— C'est le sac de ma mère.

Et puis elle a regardé vers le haut de l'escalier. Et puis elle s'est mise à monter l'escalier.

Je suis resté assis sur le sofa. Il y avait une bougie sur le napperon sur la table mais elle était éteinte, pas allumée. Le réfrigérateur bourdonnait dans la cuisine. L'horloge a sonné cinq fois. Et dehors le ciel est devenu bleu sombre sans étoiles. J'ai croisé les mains sur mes genoux et j'ai attendu, assis bien droit, comme il faut, mais Jessica ne revenait pas.

Je m'ai levé. Je suis allé dans l'entrée. Ça sentait comme Jessica. J'ai regardé le sac à main.

J'ai écouté. Y avait pas de bruit. J'ai posé le pied sur la première marche. Y avait un tapis dessus. Je m'ai retrouvé dans l'escalier.

J'ai commencé à monter les marches. Quand j'ai été en haut, j'ai regardé de tous les côtés. Je voyais à peine. J'ai attendu que mes yeux s'habituent. Y avait une salle de bains. A côté y avait une chambre à coucher avec un grand lit pour deux personnes. A côté y avait un placard. Je l'ai ouvert, y avait des draps et des serviettes. Alors j'ai regardé vers le bout du couloir. J'ai vu qu'il y avait une autre chambre, la porte était ouverte et Jessica était dedans, assise de côté sur son lit, en train de regarder par la fenêtre, les pieds pendant au bord du lit.

J'ai été jusqu'au seuil de sa chambre et je m'ai arrêté. Elle m'avait pas entendu. Je suis resté à la regarder sans rien dire. Sa figure était éclairée par une lampe à l'extérieur et ses yeux avaient des diamants dedans. J'attendais, j'attendais sans bouger, et alors elle s'est mise à chanter une petite chanson :

Koukaberra perché
Dans le vieux caoutchouc
Roi de la brousse
Roi de la brousse
Ris Koukaberra
Ris grand roi
Chante ta joie

Moi j'écoutais. Je regardais ses lèvres s'ouvrir et s
fermer s'ouvrir et se fermer. Elle était appuyée contr
trois coussins. Un rose, un à carreaux et un blan
comme un oreiller. Ses pieds se balançaient au bor
du lit. Je regardais.

Dans un coin de la chambre y avait un cheval d
bois qui était une chaise, en fait. A son plafon
pendait une lampe avec des clowns sur l'abat-jour e
accroché au mur au-dessus de son lit, y avait Jerry l
Pantin.

Jessica a repoussé ses chaussures et elles son
tombées par terre. Elle avait toujours ses bas de lain
roulés aux genoux, tout lisses et tout doux. Et pui
elle a dit quelque chose.

— Peter Pan est une fille.

Elle regardait encore par la fenêtre.

— On l'a fait ressembler à un garçon mais c'est un
fille, on lui a simplement coupé les cheveux trè
court et on lui a fait porter un soutien-gorge trè
serré.

(J'avais vu ça aussi, à la télévision, et ça m'avai
donné envie de voler alors j'avais demandé à mo
papa de téléphoner à la chaîne pour demande
comment ils faisaient, mais Jeffrey m'a dit qu'il avai
fait semblant, qu'y avait personne au bout du fil e
que mon papa m'avait menti.)

— Je suis pas assez grande pour porter un soutien
gorge, a dit Jessica, mais j'en ai un ma maman me l'
donné, pour plus tard.

Elle est allée dans son pacard pour le prendre. Ell
me l'a montré, ça m'a fait drôle. C'était pas bien
Normalement je dois pas les regarder. Mais alors j'a

fait un truc. Je l'ai pris et je me l'ai mis, seulement dans le dos.

— Regarde, Jessica, j'ai dit, je suis un chameau.

Je m'attendais pas à son rire. Elle a ri comme je l'avais jamais entendue rire avant. C'était comme si elle chantait. Je m'ai mis le soutien-gorge sur la tête et je m'ai mis à sauter dans tous les sens et elle a encore ri et je l'ai mis sur ma figure et elle est tombée sur son lit tellement qu'elle riait.

— Toc, toc ! j'ai dit. (C'était une blague.)

— Qui est là ?

— Bouhou !

— Bouhou qui ?

— Oh, y a pas de quoi pleurer, je lui ai dit

Jessica m'a regardé.

— Mais je ne pleure pas.

— Non, tu vois. Y a pas de quoi pleurer.

— Je pleure pas, Gil (elle avait arrêté de rire).

— Non, pasque c'est une blague.

— Quoi donc ?

Elle s'est remise à regarder par la fenêtre pas-qu'elle avait pas compris ma blague.

— Jessica, c'est une blague, j'ai dit.

Mais elle voulait plus se retourner. J'ai regardé son dos, il faisait des petits sauts, elle pleurait.

— Jessica.

J'ai simplement dit son nom mais elle a posé sa tête sur le lit et ses épaules ont commencé à monter et à descendre, monter et descendre. Je savais pas quoi faire alors je m'ai approché du lit.

J'ai essayé de lui montrer un tour de magie, on dirait qu'on enlève son propre pouce, mais elle voulait pas regarder.

— On pourrait jouer à faire semblant, Jessica. Quelque chose. Pour que tu soyes pas triste.

— Non, elle a dit. C'est des trucs pour les petits. Je veux plus être petite. Je déteste ça.

Elle s'est mise à frapper son lit en répétant :

— Je déteste ça, je déteste ça !

Et elle frappait son lit, et elle criait de plus en plus fort et y avait quelque chose comme une bête dans sa voix, elle faisait du bruit comme un animal.

— Je veux plus être petite, j'en ai assez, assez, assez !

Et puis elle a caché sa tête dans son bras et elle a pleuré, pleuré, pleuré, appuyée sur son lit.

Je savais pas quoi faire. J'étais là à la regarder et j'étais en colère. Pasque je suis petit moi aussi. Et pasque j'en avais assez et je détestais ça moi aussi.

Ma manman m'avait dit qu'un jour quand je serais grand j'aimerais quelqu'un et ça voudrait dire que j'essayerais d'empêcher tout le monde de lui faire du mal. J'avais cru que c'était Shrubs. Mais non. C'était Jessica.

Je m'ai assis sur le lit près d'elle et j'ai posé ma main sur ses cheveux sur un des rubans, et j'ai tiré sur le bout d'un ruban qui s'est défait et puis qui est tombé sur le lit. Et puis l'autre. Je l'ai tenu dans ma main. Et puis je l'ai posé contre ma joue pasqu'il était douceur. Comme Jessica.

Quand elle a levé les yeux pour me regarder, elle avait les cheveux dans la figure. Je les ai repoussés avec ma main et ils étaient humides eux aussi, mais pas de la pluie du dehors, de larmes. J'ai cueilli une larme au bout de mon doigt et je l'ai mise dans mes yeux.

J'ai mis mes bras autour de Jessica comme fait

mon papa quand je pleure et j'ai fait comme ça, comme il fait, une sorte de caresse, derrière sa tête. Elle a roulé sur le côté et s'est appuyée contre moi. C'était chaud. J'ai enlevé mon blouson et quelqu'un est tombé sur le lit. Câlinot le Singe. Je l'ai posé sur le rebord de la fenêtre, tourné vers l'extérieur, pour qu'il monte la garde sur Jessica Renton et sur moi.

Et puis je l'ai regardée qui pleurait et j'ai dit quelque chose très, très doucement :

— Je laisserai personne te faire du mal. Personne. Et je vais faire en sorte qu'on soyent plus des petits.

Alors elle a levé la tête pour me regarder avec ses yeux qui sont géants, verts avec des petits morceaux marron dedans et elle est retombée sur moi, sur mon ventre avec sa tête, et je l'ai tirée bien serrée contre moi et ça faisait chaud sur moi. Dehors j'ai vu qu'il commençait à neiger et Câlinot le Singe regardait ça et le vent mais nous on avait bien chaud à l'intérieur. Et tout d'un coup il est arrivé quelque chose. J'ai vu les réverbères s'allumer. Ils se sont allumés et ont répandu sur nous leur lumière. Jessica a posé sa figure contre mon ventre et elle a dit :

— Tu es mon ami.

Et il y avait des diamants dans ses yeux.

J'ai posé mon menton sur ses cheveux et elle a levé la tête et posé sa figure contre la mienne, c'était doux comme Pougnougnou, et elle a posé sa bouche sur ma figure, elle a tiré sur ma chemise. Elle a roulé sur elle-même et sa robe est passée par-dessus ses bras qui étaient autour de moi et elle s'est laissée aller sur le lit et elle m'a tiré sur elle et j'ai senti ses mains dans mes poches. Elles poussaient sur mes jambes, sur moi. J'ai senti l'avion et son élastique qu'on remontait, de plus en plus serré, de plus en plus serré sous mon ventre. Jessica tenait mon derrière et elle le faisait monter et descendre, monter et descendre. Devant elle, là où je la sentais, elle avait comme un petit derrière qui était doux comme un baiser. Et tout d'un coup j'ai entendu un bruit, qui venait de très loin, et se rapprochait de la maison de Jessica. Ça courait le long de Seven Mile Road. Des sabots. Un cheval qui galopait monté par personne. Blacky. Le bruit devenait de plus en plus fort. Il passait devant tous les magasins. Et puis j'ai entendu encore autre chose, un vélo avec des cartes dans les rayons, à côté de Blacky, monté par personne lui non plus, qui venait me chercher, son bruit de plus en plus fort, de plus en plus. Sous mon nombril l'élastique de l'avion était de plus en plus serré, de plus en plus serré et je tenais Jessica et ses jambes étaient autour de moi et j'ai dit :

— N'aye plus peur.

Et elle a dit :

— J'ai plus peur maintenant. Plus du tout, plus du tout. Du tout. Du tout.

Le bruit devenait plus fort et Blacky et le vélo se rapprochaient et je savais qu'ils allaient arriver. L'élastique était de plus en plus serré, aussi, et je pensais que j'allais mourir. J'étais presque mort. Et puis j'ai volé. Je m'ai envolé au-dessus de la maison, et de la rue et de Maxwell, au-dessus de la rue Lauder et de l'école, au-dessus de tout, pour rejoindre Jessica. J'ai vu que j'y étais presque. J'y étais presque. Et puis j'y étais.

Quelqu'un hurlait :

— Oh, mon Dieu, oh mon Dieu !

Les lumières se sont allumées. Elle m'a tiré du lit et

elle m'a lancé contre le mur et le sang est sorti de ma figure. J'ai glissé par terre. Tout ce que j'ai vu c'était son sac et elle a agrippé Jessica et j'ai hurlé :

— Ne la touchez pas, ne la touchez pas !

Et je l'ai battue, martelée avec mes poings mais elle m'a encore jeté par terre et je pouvais pas me relever

20

— Ton numéro de téléphone ! gueulait la mère de Jessica.

Je pensais que je pouvais pas bouger, ma figure avait du sang dessus. J'avais envie de dégobiller.

— C'est quoi ton numéro de téléphone ? Tu ne comprends pas l'anglais ! (Elle me serrait le bras.) Je te parle !

J'ai fermé les yeux et je m'ai évanoui.

Jessica était à genoux sur son lit, la figure dans les coussins. Elle pleurait, elle pleurait. Elle arrêtait pas de pleurer et quand sa mère allait pour la toucher elle la laissait pas faire.

— Comment est-ce possible, une chose pareille ? disait sa mère. Mais quel sorte d'animal dégoûtant es-tu, hein ? Il faut t'enfermer, te mettre hors d'état de nuire. Mais comment peuvent bien être tes parents pour avoir élevé un monstre pareil ! Mais je vais m'occuper de toi ! Attends un peu ! Tu ne feras plus tes horreurs à personne, à personne ! Ni à ma petite fille adorée ni à personne ! Tu m'entends ! Tu m'entends ?

Elle me tirait en arrière par les cheveux pour me faire relever la tête.

— Tu m'entends, hein, petit saligaud !

Je revenais à moi. J'ai ouvert les yeux.

— Si vous la touchez, j'ai murmuré, je vous tuerai.

Je sais pas comment elle a eu le numéro mais elle a appelé mes parents. Elle a dit que j'avais dit que j'allais la tuer.

Ma manman est venue et m'a mis dans la voiture. J'ai essayé de rester avec Jessica, je m'ai accroché au lit, j'ai piqué une crise, mais je pouvais pas tenir. Quand on est arrivé à la maison, il y avait un agent de police et mon papa. J'ai parlé à personne. Ma mère m'a mis un médicament sur la figure. Elle pleurait, je m'en souviens.

Je me souviens qu'ils m'ont mis au lit et que le médecin est venu me donner des médicaments pour me faire dormir. J'arrivais pas à me lever. Je me souviens presque plus, mais je me souviens du téléphone, il sonnait, il sonnait, il n'arrêtait pas de sonner comme des cloches et j'entendais que c'était la mère de Jessica.

Le lendemain mon père et ma mère m'ont mis dans la voiture et m'ont amené ici, à la Résidence Home d'Enfants les Pâquerettes. Et ils m'ont laissé. C'est la mère de Jessica qui les a fait faire ça, je les ai entendus dire qu'elle avait de quoi porter des accusations précises, mais aussi qu'eux-mêmes pensaient que cela valait mieux. Je les ai entendus.

Et maintenant ça fait deux mois que je suis ici. Hanoukah est passée depuis trois semaines. J'ai eu des habits dans une boîte de mon papa et de ma manman, la boîte était entourée de ficelle. J'ai pris la ficelle et je l'ai nouée autour d'une de mes chaussettes et je l'ai accrochée à mon mur comme un pantin.

Je n'écris plus ici très souvent, maintenant, pasque le Dr Nevele y dit que c'est mieux de lui parler pendant les séances. Je ne viens même plus très souvent dans la Salle de Repos. J'en ai plus besoin, je sais me maîtriser.

Rudyard a quitté la Résidence Home d'Enfants les Pâquerettes, mais il est revenu. Seulement je le vois pas, il ne vient pas dans mon aile ou en Salle de Jeux il est à l'étage. Je pense à lui quand je vais nager. Je sais faire la nage du chien. Je vais l'apprendre à Câlinot le Singe quand je rentrerai chez nous. Il aime nager seulement je le reverrai jamais. Il était chez Jessica. Je pense que sa mère l'a tué.

J'ai vu Rudyard. C'était à l'étage. Mme Cochrane m'avait emmené pour voir un autre médecin qui me montrait des photos et me demandait le nom des choses. C'était un test. Quand je suis sorti, Rudyard était dans le hall avec un enfant. Il le tenait dans ses bras, l'enfant faisait des grimaces.

Il m'a regardé. Je l'ai regardé. On s'est regardé longtemps. Et puis il a dit :

— J'ai quelque chose pour toi.

Il a déposé le petit par terre et il s'est redressé. Il m'a encore regardé et il a plongé sa main dans sa poche arrière.

— Ça fait une semaine que je me trimballe avec ça, je ne sais même pas pourquoi. Dis au Dr Nevele que tu l'as trouvée quelque part.

J'ai regardé, c'était une enveloppe. Quand j'ai de nouveau regardé Rudyard, il pleurait. Il pleurait pour moi. Alors j'ai fait quelque chose. J'ai collé ma main sous mon menton, comme ça, et j'ai remué les doigts pour lui faire le Grand Salut.

Le petit s'est enfui le long du corridor et Rudyard lui a couru derrière. Au bout du corridor, il est devenu de plus en plus petit.

J'ai ouvert l'enveloppe. Et puis je l'ai refermée.

J'avais les mains qui tremblaient. Pasque j'avais peur.

Cette nuit là j'ai pas pu dormir. Allongé dans mon lit, dans mon aile, je regardais le plafond. Il y avait une fenêtre dedans. Une lucarne que les lumières du couloir s'y voyaient.

Alors j'ai entendu les concierges partir pour chez eux. Ils disaient qu'ils allaient se geler les couilles. Quand ils ont été partis, y avait plus personne. Il était tard. Tout était coi. Mannie suçait son pouce et Howie respirait fort dans le lit près du mien. Et moi je regardais la lucarne du plafond. Je la regardais, je la regardais encore, je la regardais toujours.

Je suis sorti de mon lit. Sous mon oreiller, j'ai pris la lettre, la lettre de Jessica. Je suis allé à la porte. J'ai regardé dehors. Personne. Je suis parti. Je longeais le mur. Y avait quelqu'un dessus : mon ombre. Nous rasions le mur, moi et moi.

J'allais quelque part avec moi-même.

J'ai passé une porte où qu'y avait d'écrit escalier. C'était un escalier. J'ai monté et encore monté. Mes pieds faisaient des échos mais je m'ai pas arrêté. Et puis j'ai passé encore une porte et j'ai tourné par ici. Je suis allé tout au bout du couloir et puis j'ai encore tourné par ici. J'ai passé des portes en verre et j'étais dans un nouveau hall. Il y avait une infirmière derrière un bureau. Elle lisait un livre. Elle m'a pas vu. Alors j'ai passé encore une porte. A l'intérieur de la salle y avait une rangée de lits. Je suis allé jusqu'au dernier lit de la rangée.

Carl était attaché, ils lui mettaient des courroies comme des ceintures. Il n'a même pas essayé de bouger un tout petit peu mais il m'avait vu avec ses yeux. Ils étaient ouverts. Il n'arrivait pas à dormir lui non plus. Y avait une chaise pliante près de la fenêtre. Je l'ai prise et je l'ai ouverte et je m'ai assis à côté du lit de Carl. Il me souriait. J'avais pas peur.

— C'est moi, je lui ai dit. De la Salle de Jeux, tu te souviens ? Je t'ai poussé.

Carl n'a rien dit. Ses yeux ont un peu tourné une fois, mais il me regardait.

— Je comprends pas grand-chose, je lui ai dit au sujet de Rudyard et du Dr Nevele. Rudyard m'a montré comment nager et c'était mon ami, mais il m'a menti pour le mur, à propos de lire ce que j'écris sur mon mur.

Carl souriait. Je voyais son ventre et sa poitrine se soulever et redescendre. Du bruit venait des autres lits. On aurait dit des bruit de chiots. C'était des enfants.

— Et le Dr Nevele. Il ne comprend pas les enfants et il a dit que je n'avais pas de lettres. Il les volait et en plus il mentait. C'est pas bien.

Carl a cessé de bouger.

— Et maintenant y a plus personne. Je voudrais être chez moi. Je voudrais n'être nulle part.

Je suis resté assis avec Carl le reste de la nuit. J'étais près de lui et il me regardait, en souriant, et je restais. C'était très calme dans la salle, très doux, sans bruit, comme si tout le monde s'était envolé pour le paradis.

Quand le matin est venu, je suis parti. J'ai retraversé le hall. Des infirmières arrivaient, accrochaient leur manteau après l'avoir enlevé. Je suis allé à la Salle de Repos. J'ai ouvert la porte et j'ai allumé la lumière mais y avait quelqu'un là, blotti sur le plancher contre le mur.

Elle s'est réveillée quand je suis rentré et elle s'est assise et m'a regardé en se frottant les yeux et elle avait l'air d'un petit bébé, presque. Elle a mis ses lunettes pour voir qui c'était et c'était moi.

— Madame Cochrane.

Elle avait des tas de marques et de petites rides d'avoir dormi sur le plancher. Elle était comme étourdie. Elle a ôté ses lunettes pour se masser les yeux. Elle a voulu se lever mais elle a pas pu. Elle était trop vieille. Je l'ai regardée, elle était comme un petit enfant. Je savais qu'elle était venue là pour m'attendre parce que je n'étais pas dans mon lit et qu'elle m'avait cherché partout. Je l'observais. Elle ne disait pas un mot. Elle était assise sans rien dire, sur le sol, devant le mur sur lequel elle avait écrit *Il voulait voir s'envoler les minutes.* Je savais que c'était elle.

J'avais très sommeil. J'ai éteint la lumière dans la Salle de Repos et je m'ai allongé par terre près d'elle et elle a gardé son bras sur moi. Elle l'a gardé là pendant que je dormais.

21

Cher Gulp !

Je ne sais pas si je pourrai t'écrire encore avant un certain temps parce que ma mère m'emmène dans une école privée demain. C'est loin, en Ohio. Elle dit qu'il y a des tas d'enfants sympathiques là-bas et que j'oublierai.

Le médecin de l'hôpital lui a conseillé de m'y envoyer. Il dit que ce qui s'est passé me tourmentera encore longtemps et peut-être que j'aurai de mauvais rêves. Il a donné à ma mère des pilules pour me faire dormir.

Le soir où je suis rentrée de l'hôpital elle m'a mise au lit dans sa chambre et m'a donné ma pilule. Mais je l'ai cachée dans ma bouche et dès qu'elle est repartie je l'ai crachée. Et quand elle a été partie pour de bon, je me suis levée et je suis allée dans ma propre chambre. Je me suis couchée mais je ne pouvais pas dormir. J'avais peur. Et j'ai entendu un bruit. Ça m'a effrayée et j'ai allumé la lampe. Alors il a disparu. Mais quand j'ai éteint la lumière, il est revenu. J'avais très peur. J'ai vraiment écouté, écouté, l'oreille tendue.

Il faisait noir, y avait seulement un tout petit peu de lumière qui filtrait depuis la rue. Et j'ai vu Câlinot le Singe assis sur le rebord de la fenêtre et regardant dehors comme tu l'avais mis. Le bruit c'était lui. Il chantait.

Koukaberra perché
Dans le vieux caoutchouc
Roi de la brousse
Roi de la brousse
Ris koukaberra

Ris grand roi
Chante ta joie.

Je l'ai écouté chanter sans arrêt. Il chantait, il chantait, il chantait. C'était doux. Et quand je me suis endormie, j'ai rêvé d'arc-en-ciel.

Jessica.

Chère Jessica,

Une fois, j'avais cinq ans. C'était l'été. J'étais resté debout tard pasqu'il y avait pas école le lendemain. Et j'ai fait un mauvais rêve.

Je m'ai réveillé. Il faisait tout noir dans ma chambre. Il y avait une ombre sur le placard. Tout était silencieux. Je ne me sentais pas bien. Je transpirais. C'était froid sur moi. Je m'ai assis dans mon lit et j'ai attendu. Puis je suis sorti du lit. J'ai tendu le doigt dans la direction de la porte et j'y suis allé. Je suis allé dans l'entrée en pyjama. Je suis resté dans le hall devant la petite veilleuse qui est au-dessus de la chambre de mes parents. J'écoutais. Mais je n'entendais rien. A l'intérieur de leur chambre c'était tout noir.

J'étais là, en pyjama. J'ai regardé dans la chambre de mes parents mais il faisait tout noir. J'ai écouté et je n'ai pas entendu un seul bruit. Alors j'ai dit quelque chose, très, très doucement, dans l'entrée :

Il n'y a personne, là-dedans ?

Gulp.

GROUPE CPI

Achevé d'imprimer en septembre 2004 par
BUSSIÈRE CAMEDAN IMPRIMERIES
à Saint-Amand-Montrond (Cher)
N° d'édition : 68575. - N° d'impression : 043392/1.
Dépôt légal : octobre 2004.
Imprimé en France